聖霊とともに生きる

ディボーションの手引き

改訂版

卞 在昌 著

小牧者出版

この本を私の信仰の父であり

最も尊敬する師であり、父である卞 哄錫にささげます。

改訂版によせて

信仰生活に最も重要なこと

信仰生活において、日々聖霊の声（神の声）を聞くことは最も重要なことです。自分の信仰が単なる形式的な宗教なのか、本物の永遠のいのちを生きているかの分かれ目であるからです。

日々聖霊の御声を聞く方法にも様々なものがあります。その中で最も安全で、確実で、主から保証された方法は、主のみことば（聖書）を通して神の聖霊の語る御声を聞くことです。

「しかし、助け主、すなわち、父がわたしの名によってお遣わしになる聖霊は、あなたがたにすべてのことを教え、わたしがあなたがたに話したすべてのこと（聖書）を思い起こさせてくださいます」（ヨハ14・26）

聖霊の声を聞く2つのタイプ

聖書を見ると、日々聖霊の声を聞くには、２つのタイプがあることが分かります。一つはコリント教会のタイプです。

聖霊様と交わり、そこで聖霊様から示されたみことばを黙想し、語り合うタイプです。これはインスピレーショナルディボーション(Inspirational Devotion)です。

「それでは、兄弟たち、どうすればよいのでしょう。あなたがたが集まるときには、それぞれが賛美したり、教えたり、啓示を告げたり、異言を話したり、解き明かしたりすることができます。そのすべてのことを、成長に役立てるためにしなさい」(Ⅰコリ14・26)

もう一つは、先にキリストのみことばを深く黙想してから、示されたみことばを語り合うコロサイ教会のタイプです。これはイルミネーショナルディボーション(Illuminational Devotion)です。

「キリストのことばが、あなたがたのうちに豊かに住むようにしなさい。知恵を尽くして互いに教え、忠告し合い、詩と賛美と霊の歌により、感謝をもって心から神に向かって歌いなさい」（コロ3・16）

改訂版に加えた一番大事なモノ

改訂版に加えたディボーションは、聖霊様と直接交わりながら、みことばから神様のみこころを示していただくディボーションの方法です。どちらも主のみことばに聞くのですから、健全で健康なクリスチャン生活であることは間違いありません。ただ、信仰生活のタイプというか、好みの違いと言えるかも知れません。普段聖霊様との交わりに慣れておられる方々には、このインスピレーショナルタイプが良いかもしれません。

できれば、両方とも身につけて、状況に応じて主と愉しく、また深く交わり、御声を聞く恵み溢れる日々を過ごされますようにと願います。ハレルヤ！

２０２０年12月25日

主の聖誕の朝、卞在昌（アーメン卞）

推薦の言葉

聖書キリスト教会牧師
尾山令仁

卞在昌《ビュンジェーチャン》先生がわが国の教会に与えてくださった祝福は数多くあります。その中でもディボーションの持ち方について具体的に教えてくださったことは、私個人にとっても、わが国の教会にとっても、決して小さなことではありません。

私は救われてまもなく、自分の大学にキリスト者学生会を作り、これがほかの大学にも波及し、やがて全国的な規模で広がっていくわけですが、その最初のころ、どういうふうにしていったらよいか分からず、戸惑っていたときに、当時ＩＶＣＦのＯＢで駐留軍の軍属として来日していたチャールズ・ハンメル氏（現在アメリカのＩＶＣＦの主事）から欧米のＩＶＣＦの運動を紹介されました。そのとき、アルフレッド・ギブス博士が書いた『静思の時』という小冊子を日本語に訳して出したことがあります。

それ以来、私はこの本から教えられて、毎朝のディボーション（静思の時）を持ってきました。そして、私が編集長をしている月刊雑誌『羊群』にも、ディボーションの手引きとして「今日の御言葉」を毎月掲載してきました。初めのころは、みことばの簡単な解釈を載せてきましたが、一人一人の信者が自分で聖書の真意を引き出してくることができるようにという願いから、後にはほとんど質問の形でその手引きを書いてきました。もっと良いディボーションの持ち方はないものか、自分でも工夫し、改善していましたが、卞在昌先生にお会いし、ディボーションの持ち方について教えていただいて以来、私のディボーションは変わりました。聖書の著者である聖霊に頼りながら、ノートをつけつつみことばを学ぶこのやり方は、今までのただ聖書を読むだけのやり方とは大違いで、今まで読み過ごしていたことが余りにも多かったことに気づかされました。

卞先生から教えられたディボーションの持ち方をすることによって、多くの人々の信仰生活が変わりました。私も変わりましたし、家内も子どもたちも変わりました。そして私が教え、それを忠実に実行している教会員たちは、皆変わりました。そして教会が変わったのです。

このたび、卞先生がこれを一部の人たちだけではなく、広く多くの人々への祝福となることを願って、一冊の書物としてくださいましたことは大きな喜びです。この本を読まれ、これを実行される方は、必ずすばらしい祝福をいただくことができると思います。そして何よりも信仰生活が変わります。わが国のリバイバルのために、この本が大きく用いられるようにと願ってやみません。

１９９１年７月26日

序　文

数年前、私はとても献身的で将来有望な若い夫婦にお会いしました。

2人は国際結婚をされ、西洋人である奥様はマスコミなどで活躍しておられました。話しているうちに、彼女の家庭が有名なクリスチャンの家系であることがわかりました。彼女の父親は、今も神学校の校長をされています。彼女が日本人の青年にプロポーズされ、長い間悩み、躊躇していたとき、その父親がこう話したそうです。

「その青年が、もし日本人でなくて同じ国の人であれば、あなたは結婚するの」

「もちろん、そうです。お父さん」

「では、結婚しなさい。人種差別は神のみこころではない」

私は今もその話を忘れることができません。そこから、私たちはどのようにしたら神のみこころを見分けられるかという主題に移り、彼女にとってそれほど難しかった結婚に対する神のみこころが、どうして彼女の父親には簡単なことであったたかなど、真剣にディスカッションしました。そして、彼女が今も神様の導きとみこころを知るために苦労していることがわかりました。神様のみこころを見分けることはそんなに難しいことではなく、毎日神様の確かな導きをいただいて暮らせると自信をもって話す私の態度に、彼女は興味を示し、また、真剣に聞いておりました。

何％ぐらいのクリスチャンが、毎日神様の御声を聞き取りながら具体的な主の導きの中で暮らしているでしょうか。また、神様のみこころをすぐに見分け、そして、生活の中で実践しているでしょうか。

「あなたは神様のみこころにしたがって暮らしていますか」と聞くと、ほとんどの人は「神様のみこころが何かよくわかりません」と答えるでしょう。聖書をたくさん読み、メッセージを長い間聞き、祈りも熱心にしているにもかかわらず、どうして、神様のみこころを見分けることが難しいのでしょう。長い間、教会に通いながら信仰生活をしてきたのに、どうして神様のみこころを見分けるのが難しいのでしょう。私たちは、御霊とどのように交わりを保ち、みことばを通してどのように神様の導きをいただくかという訓練が必要なのです。

「あなたがたは、年数からすれば教師になっていなければならないにもかかわらず、神が告げたことばの初歩を、もう一度だれかに教えてもらう必要があります。あなたがたは固い食物ではなく、乳が必要になっています。乳を飲んでいる者はみな、義の教えに通じてはいません。幼子なのです。固い食物は、善と悪を見分ける感覚を経験によって訓練された大人のものです。ですから私たちは、キリストについての初歩の教えを後にして、成熟を目指して進もうではありませんか。死んだ行いからの回心、神に対する信仰、きよめの洗いについての教えと手を置く儀式、死者の復活と永遠のさばきなど、基礎的なことをもう一度やり直したりしないようにしましょう」（ヘブ5・12～6・2）

神のみこころを見分ける訓練を受けていない人は、ヘブル人への手紙を受け取った人たちのように、霊的に幼子なのです。神の御前で成熟した人は、まず、霊的に成長した人で、堅い食物まで食べることができる人たちです（ヘブ5・13～14）。

ここで語っている堅い食物とは、難しい教理のことを言っているのではありません。かえって、教理は信仰の初歩と言われています（ヘブ6・1）。堅い食物とは神様のみこころを見分けることであって、良い物と悪い物を見分ける（ヘブ5・14）義のみことば、つまり神様の願いと喜びが何かを体験することだと教えています。そのためには、感覚を用い、経験を重ねなければなりません。それは一日でできることではありません。訓練が必要です。しかし、そんなに苦しいものではありません。かえって、訓練の間も祝福と恵みに満ちあふれた喜びの時となります。怠け心を何回か乗り越えれば、能力ある暮らし、生きがいのある生活をし、祝福をいただくことができるのです。これこそ、私がこの本を書いた理由です。

ローマ人への手紙12章1～2節には、パウロが心からの愛と真実をもって、何よりも神のみこころは何か、すなわち何が良いことで神に受け入れられ、完全であるのかを見分けることを勧めています。また、主イエスは厳しく警告しています。

「わたしに向かって『主よ、主よ』と言う者がみな天の御国に入るのではなく、

天におられるわたしの父のみこころを行う者が入るのです」（マタ7・21）

ですから、大事なのは訓練を通してみこころを見分け、そのとおりに実践していくことなのです。

「幻がなければ、民は好き勝手にふるまう。しかし、みおしえを守る者は幸いである」（箴29・18）

ここの「幻」とは神様のお示しによるビジョン（神の啓示）を意味します。神の啓示がなければ、民はわがままにふるまいます。しかし、神のみことばを守る者は幸いであるということです。神様のみこころと関係のないひとりよがりのビジョン、幻、夢は、すべて無益なものです。またそれらは私たちをごう慢にします。ですからいつも、生きておられる神様の御霊とともに歩むディボーション（静思の時）の訓練をする必要があるのです。

目　次

改訂版によせて　卞在昌　4
推薦の言葉　尾山令仁　8
序文　11

第1章　聖霊とともに歩む訓練
自由への狭き道　20

第2章　ディボーションの要素
1　ディボーションは礼拝である　34
2　ディボーションは静思である　40
3　ディボーションは祈りである　54
4　ディボーションは神への従順である　60
5　ディボーションは恵みの年を宣言することである　72

第3章　ディボーションの原理
1　聖霊のご臨在と開心　84
2　静聴　92
3　適用　120
4　実践　140
5　恵みの分かち合い　144
第4章　実践
1　個人ディボーションの必要性　160
2　グループディボーションの必要性　170
3　教職者のための助言　176
あとがき　182
注釈　184

第1章

聖霊とともに歩む訓練

自由への狭き道

「父なる神様は私たちに、恵みを受け取る手段として、聖霊による生活の訓練を与えられました。私たちはその訓練を通して、神様が私たちを変えられるよう神の御前に出ることができるのです。」

リチャード・J・フォスター ※1

根深い罪の奴隷

私が日本に来てまもないころ、友人が経営しているアルコール中毒者のリハビリテーションセンターにたびたび行きました。彼らの中には小説家や詩人、また、社会的に有名な人も何人かおりました。私は彼らと文学について、また日本の小説について、楽しくディスカッションしたことがありましたが、彼らのほとんどはすでに家族を失っていました。酒のゆえに財産を湯水のように使い果たし、奥さんからは離婚され、子どもたちは親戚などに預けっぱなしで、家庭がバラバラになっていた人も多くおりました。体をこわし、病院も転々とした後、人生を新しくやり直すために、リハビリテーションセンターを訪ねたのでした。彼らのほとんどはそこで信仰の道にはいります。イエス・キリストを救い主として受け入れ、それまでの多くの人生の過ちや罪、咎をきよめていただき、新しい人生の出発をするのです。バプテスマを受け、毎日聖書を読みながら健康に暮らします。しばらくして彼らは社会に復帰し、そのうちの一部は立派な社会人として成功しますが、多くの場合、悲しいことにまた戻ってきてしまうのです。再び誘惑に負けて飲み始め、まさに、犬がその吐き出したものに戻るかのように、昔の泥沼のような生き方に戻ってしまいます。どうにもならなくなったとき、信仰を思い出して再びセンターの扉をたたくのです。

何が問題でしょうか。彼らは過去の罪を赦していただかなかったのでしょうか。神様の恵みが足りなかったのでしょうか。この世がもっと悪くなったからでしょうか。それとも、彼らが神様の子どもでなかったのでしょうか。いいえ、彼らに与えられた恵みは、他の人に与えられた恵みより、もっと大きかったかもしれません。確かに彼らはすべての罪と汚れを赦していただきました。神の子どもとして永遠のいのちの約束をいただいた人たちでした。

人間は根深い罪の奴隷だとある人は言っています。使徒パウロ以来、最大の神学者と呼ばれたアウグスティヌスとジョン・カルヴァンは、人間の全面的な堕落と神の恵みという神学を強く打ち出しました。人間は祖先アダム以来、悪魔と罪の奴隷となって暮らしてきました。それゆえ、根深い罪の性質が残っているのです。たとえ、私たちがイエス・キリストの十字架の贖いを通してその汚れや罪をきよめていただき、父なる神様との関係を回復したとしても、この罪深い性質、習慣は残っていて、栄化※2に至るまで少しずつ聖化※3されていく必要があるのです。

また、私たちの周りの現実は何も変わりがありません。罪深いのです。価値観も同じ、家族や友だちも変わりはありません。争い、ねたみ、誘惑、憤り、昔の快楽の楽しみは、今もその芳しい誘惑の手を振り、誘っているではありませんか。どうしたらよいのでしょうか。

意志礼拝

ある人々は勇敢に意志をもって、誘惑と罪の性質に立ち向かおうとします。彼らは意志が弱いから心を強くしなければと自分に言い聞かせ、歴史小説や伝記などに出てくる強い意志の持ち主を思い浮かべながら、罪の性質に正面から対決しようとします。しかし、努力すればするほどたどりつく結論は、人間は弱い存在であり、自分の力では自分の内側を治めることができないこと、悪魔は自分より利口で狡猾であるという告白です。そして、彼らはますます謙遜な聖者になるように思われますが、望ましいことではありません。

聖書は、私たちが自分の意志に頼ろうとする態度を、意志崇拝（the will worship）と指摘しています。すがるな、味わうな、さわるな（コロ2・20～23）というのは禁欲的、自己意志崇拝なのです。

そして、それを聖書は、霊的な偶像礼拝だと教えているのです。コロサイ人への手紙2章23節を見ると、こういう態度は自分のからだを懲らしめる禁欲には有益のように見えますが、誘惑と罪の性質に打ち勝つためには何の効果ももたらさないとあります。パウロの叫びを聞いてください。

「私には、自分のしていることが分かりません。自分がしたいと願うことはせずに、むしろ自分が憎んでいることを行っているからです。……私は、したいと願う善を行わないで、したくない悪を行っています。……私は本当にみじめな人間です。だれがこの死のからだから、私を救い出してくれるのでしょうか」

（ロマ７・15～24）

聖霊の訓練（聖霊とともに生きる訓練）※4

では、この罪のからだから私たちを解放してくれる道はないのでしょうか。古い罪の性質の奴隷から私たちを解き放ってくださる方はおられないのでしょうか。この根深い罪の性質と悪習慣の鎖から私たちを解き放ち、苦しいところから私たちを連れ出し、自由と幸福の国に導く方はおられないのでしょうか。

おられます。その方は聖霊ご自身です。御霊として来られたイエス・キリストです（ロマ8・2）。そして、その御霊のいのちの原理に従って、私たちを訓練し、鍛練することこそ、解放の道なのです。イエス様はこの方を助け主と呼ばれました（ヨハ14・16、26）。そばにおられ、助けてくださるという意味です。私たちが倒れたら泣き、弁護し、激励し、指導してくださるという意味です。力と能力と知恵を与えてくださる親切な保護者（アロス・パラクレートス ἄλλον Παράκλητος）です。この方は、私たちをいのちの生活の原理に従って、訓練し、導いてくださるのです。罪と死の苦しみから自由と幸福の人生へと導くための、私たちのコーチなのです。

　ですから、使徒パウロはテモテへの手紙第一4章7～9節に「むしろ、敬虔のために自分自身を鍛錬しなさい。肉体の鍛錬も少しは有益ですが、今のいのちと来たるべきいのちを約束する敬虔は、すべてに有益です。このことばは真実であり、そのまま受け入れるに値するものです」と書いたのです。

　聖霊による、そしてその原理にしたがった霊的なトレーニングこそ、私たちを罪深い習慣から自由へと導いてくれる道です。聖霊の原理は恵みの手段です。そしてそれは、聖霊様の霊的訓練に従うことによって自分のものとすることができるのです。訓練されることによってきよい習慣と人格が形成されていきます。もう裏と表が異なる必要はありません。これ以上、偽善者になる必要がないのです。心は泣いているのに、顔で笑う必要はありません。そういうことが、かえって不便に感じられます。神の聖霊とともに歩むのがより自然で重荷がなく、自由なのです。従うことが喜びになり、神を喜ぶことが楽しみになります。解放の道、いのちの道です。

自由への狭き門

昨年、私たちの家に娘が与えられました。９カ月のときにハイハイをし、しばらくすると立ちました。そして、イスや物をつかんでつたい歩きをするようになり、今度は自分で歩こうとするようになりました。私たち家族は一緒にいる機会があれば、みんなでこの子が歩くのを激励します。一歩踏み出すごとに、一、二、一、二と声をかけて励ましてあげると、一歩一歩、歩き出します。息子たちも、学校から帰ると娘の手を取って歩く練習をさせます。それから1カ月、最近はかなり歩けるようになりました。家族はその度に歓声をあげます。私は娘ががんばって歩いた後は、抱きしめて称賛をします。そうすると、とてもうれしそうな顔をします。まもなく、彼女は一人で自由に歩くことになるでしょう。また、走ることにもなるでしょう。

敬虔の訓練もこのようなものです。聖霊様とともに歩くこと、また、聖霊様のいのちの原理に従って生きることは、一日に完成するものではありません。少しずつ、身につけるものです。たびたび倒れることもあるでしょう。しかし、助け主であり、コーチであられる聖霊様がともにおられます。無理にする必要はありませんが、失望せずに続けていくことです。助け主、聖霊様がお父さんです。牧師や先輩たちがお兄さんです。これは、たとえ狭い門であったとしても、いのちの門です。たとえ、細い道だとしても自由への道です。イエス様は決して私たちに重荷を負わせる方ではありませんが、このように勧めました。

「狭い門から入りなさい。滅びに至る門は大きく、その道は広く、そこから入って行く者が多いのです。いのちに至る門はなんと狭く、その道もなんと細いことでしょう。そして、それを見出す者はわずかです」（マタ７・13〜14）

訓練の喜び

訓練の基本は喜びであり、それによって束縛からの解放と自由が得られます。そうでなければ、誰がこの苦しい訓練に耐えられるでしょうか。聖霊によるこの訓練の目的は、神の子どもとして受ける永遠の栄光と、神の御国の相続者としての勝利にあるのです。

イエス・キリストは、その栄光と勝利を死人のうちからの復活と昇天を通してお見せになりました。パウロは、自分の人生の目標を復活の力を知ることであると断言しました。皆さんは、この霊的な訓練は信仰の巨人たちがやることだと考えるかもしれません。また、一日中黙想して祈る余裕のある人たちがすることだと考えるかもしれません。しかし、そうではありません。この聖霊の訓練を通して、偉大な勝利者となった多くの人々は、ほとんど平凡な人たちで、子どもを産み、畑で働いた人たちでした。彼らはまた、もっと厳しい現実の中で、神様の助けを求めました。

訓練は喜びです。でなければ、暗やみの中で邪悪なサタンと手を握り、一時的な世の快楽に耳を傾けることになってしまうからです。甘いえさを使って滅びに追い込む陰険な悪魔とともに歩くのは恐ろしいことです。しかし、愛の王様、恵みの助け主、聖霊様を心のまん中にお迎えして歩む訓練は、実は喜びに満ちた楽しいものです。イエス様は、そうしないことがどんなに恐ろしいことかをこのようなたとえを用いて教えられました。

悪霊がある人の中に住んでいましたが、しばらくして、悪霊がその人から出ていきました。その人は正常に戻り、心をきれいに掃除し、新しく整えました。しかし、出て行った悪霊が戻ってみると、その人の家（心の中）が掃除されてありました。しかし、その家（心）はまだ、空いていたのです。それで、この悪霊は自分のところに戻り、もっと悪い悪霊を7つも連れて来て、この人の家（心）に住み着きました。住み着いたら、その後の状態は以前よりもっと悪くなりました。

このみことばは聖霊様を主人としてお迎えしていない人々、そのからっぽの心がどんなに危険であるかを教えています。イエス・キリストを信じて新しく出発しても、保護者であり、助け主であられる聖霊様を主人としてしっかりお迎えしていないその状態がどんなにこわれやすいか、また、再び悪霊にしばられたら、その状態がどんなにみじめであるかを教えています。私たちは両者のどちらか一つを選ばなければなりません。助け主、聖霊様と手をつないでそのいのちの小道、喜びの小道、霊的な訓練の道を歩くか、あるいは、自分の心の空き家を悪魔に明け渡してしまうかです。

律法は聖霊の訓練ではありません。律法は意志であり、形式であり、哲学です。しかし聖霊の訓練は、あえて律法ということばを用いるなら、自由への律法です。いのちの原理です。それは神の臨在、神との交わりです。礼拝であり、賛美であり、従順にともに歩くことです。これは文字の働きではありません。霊の働きです。そして、この門は狭い門です。道徳主義の広い道ではありません。また、反道徳主義という広い道でもありません。反律法主義でもありません。この道は、これらの広い道の間にできているいのちの道です。御霊の狭い小道です。その門は十字架で、その道は復活と永遠のいのちに至ります。この道の案内人は聖霊様で、時間という道路の上に神様の全面的な恵みと私たちの従順という道路標識がついています。この道は私たちを御父の栄光の御座に至らせます。この道が狭いのは、そこには神様に対する従順の訓練が求められているからです。また、それは、継続的な訓練であるからです。

これは、C・H・スポルジョンが「私は神の御恵みの前にひざまずいて祈るときにはカルヴァン主義者で、そこから立ち上がったときにはアルミニウス主義である」[※5]と語ったのと同じ意味です。ひざまずき、全能の神様に祈るときには、天の父の全面的な恵みとその主権に訴えますが、立ち上がったときには、この方のみこころに徹底的に従うことを決断するのです。そして、この恵みと従順の継続的な生活が、訓練という小道です。しかし、もしこの訓練が形式と律法に帰ってしまうならば、もう一つの死の道、宗教的禁欲と束縛をもたらすことになります。

「主は御霊です。そして、主の御霊がおられるところには自由があります。私たちはみな、覆いを取り除かれた顔に、鏡のように主の栄光を映しつつ、栄光から栄光へと、主と同じかたちに姿を変えられていきます。これはまさに、御霊なる主の働きによるのです」（Ⅱコリ３・17～18）

第2章

ディボーションの要素

１　ディボーションは礼拝である

「人々は奉仕を大きく重んじるが礼拝を小さいことと思う。私たちの周りには多くのマルタが騒いでいるがマリアは探しにくい。私たちは絶望的にプログラム化された時代に生きている」

Ｊ・マッカーサー・ジュニア

ディボーションと聞くと、多くの人が聖書勉強だというイメージを持つようです。しかし、実際にはディボーションはただの聖書勉強ではありません。信仰生活のすべての要素がディボーションには含まれているのです。ここからは、ディボーションに含まれている様々な要素を見ていきましょう。

マリアが姉マルタに叱られたとき、彼女はイエス様のひざもとに座ってみことばに耳を傾け、最上の幸福な時間を持っていました。これは彼女にとって、主を礼拝するすばらしい喜びの時間でした。

「マルタ、マルタ、あなたはいろいろなことを思い煩って、心を乱しています。しかし、必要なことは一つだけです。マリアはその良いほうを選びました。それが彼女から取り上げられることはありません」（ルカ10・41〜42）

奉仕のために忙しく、心が騒いでいたマルタに対して、イエス様は人生の優先順位をアドバイスしたのです。優先順位を間違えなかったマリアは、のちに香油のつぼを壊し、イエス様の髪に注ぎ、献身の礼拝をささげました。主は、この行為は福音が宣べ伝えられる至る所で美しい姿として伝えられるだろうとおっしゃいました。ジョン・マッカーサー・ジュニアが「礼拝は人生の究極的な優先順位である」「私たちは神を礼拝するために造られ救われたのだ」と語ったこと、※6 Ａ・Ｗ・トゥザーが「今日の教会信徒たちは教会の宝石を失ってしまった」（The Missing of The jewel of The Church）と語ったことばを引用するまでもなく、主イエス様は私たちに「父は霊とまことによって礼拝する人々を求めておられる」とおっしゃいました（ヨハ４・23）。

キリスト者がささげるディボーションにおいて、一番大事な要素は礼拝です。一般の礼拝との違いは、それが群衆ではなく、個人の礼拝だということだけです。個人的に奥間にはいって神様のご臨在を感じながら、礼拝をささげるという点では変わりありません。

では、礼拝とは何でしょうか。礼拝とは神様に向かって栄光と賛美をささげることだ[※7]という単純な定義から出発してみましょう。新約聖書の中で一番頻繁に用いられている「礼拝」という単語はプロスクネオ（προσκυνέω）ということばで、誰々に口づけをする、また、誰々の手に口づけをする、また、おじぎをするという意味です。自らを低くし、誰かをうやまい、おじぎをするということです。

もう一つのことばはラトレウオ（λατρεύω）ということばですが、これは栄光をささげる、また、部下として尊敬と敬意を表すという意味です。言い換えると、敬拝と賛美をささげることを礼拝といいます。この礼拝が霊とまことによってささげられるためには、聖霊ご自身がご臨在と栄光を現すようにすることです。私たちは、主が個人的にご臨在とご栄光を現すように、真心と精神を尽くして、父なる神に礼拝と敬拝と賛美をささげなければなりません。

まことの礼拝にならないのは、礼拝の対象が間違ったときです。どんなに真心と精神を尽くしてささげたとしても、偽りの神々を礼拝するのはまことの礼拝ではありません（出34・14）。また、たとえまことの神を礼拝するとしても、イスラエルの民が金の子牛を造ってヤーウェの名前を叫びながら礼拝したように、偶像を拝むなら、間違った礼拝になってしまいます。神様のみことばに従ってではなく、異教的な方法で礼拝するのもまことの礼拝ではありません（出32・7～9）。もう一つ間違った礼拝は、聖霊ご自身が導かない礼拝です。伝統と形式にしばられ、律法化した礼拝です。聖霊のご臨在と現れのないパリサイ人の礼拝を主は叱責なさいました（マタ15・3）。

奥間にはいって神様のみことばに耳を傾けながら、静思の時を持ち、自分を振り返って悔い改め、彼の深いご臨在の中に入り、自分をささげ、敬拝と賛美をささげるディボーションのひととき、この時間の一番大事な要素は、人生の究極的な使命である礼拝なのです。

「人間の第一の目的は神の栄光を現し、永遠に彼を喜ぶことです」

（ウエストミンスター大教理問答問一）

２　ディボーションは静思である

「私が申し上げる静思はみことばに対する静思です。これは、私たちの心にあるみことばをもっていろいろな方面から考えてみることです。一番最初に、主が教えてくださるように祈ります」デニス・レイン

祈りが神様の御前にささげる訴えだとしたら、静思は自分自身を明け渡し、神様のみことばに耳を傾けることだと言えます。静思はディボーションの時においてとても重要な要素です。それは、みことばに対して、具体的に徹底的に静かな奥間で、神様の御声に耳を傾ける作業であるからです。

「私は夜明けの見張りよりも先に目覚め　あなたのみことばに思いを潜めます」

（詩１１９・１４８）

歴史上、クェーカー信徒たちほど、神の御声に耳を傾ける静思の時を強調した集団はありません。その結果、彼らは少数でありながら、その人数に比べられないほどの強い影響力を社会に及ぼしました。

ある人々は、この静思を東洋の宗教、すなわち、仏教の禅やインドの超越瞑想など、また、これらが西洋に移って独自の形を作りつつあるＴＭ（Transcendental Meditation）とまちがえ、拒もうとしています。しかし、静思はいつもキリスト教信仰の古典であり中心でした。それは祈りに必要な準備の過程でもあり、祈りの一部分であったからです。東洋の禅が急に注目を集めたのは、実は教会がこの分野を軽視したからだと思います。聖書をご覧ください。

「床の上であなたを思い起こすとき　夜もすがらあなたのことを思い巡らすときに。」（詩63・6）

「主のおしえを喜びとし昼も夜もそのおしえを口ずさむ人」（詩1・2）

事実、詩篇は神の人たちが神様のみことばを静思した詩でもありました。彼らは喜んで耳を傾け、あなたの律法を昼も夜も口ずさむと語りました。これこそ幸いな人、時かなって実を結ぶ人として、詩篇の玄関である一篇からその静思の詩を紹介しています。しかし、私たちは東洋の座禅や瞑想と聖書の静思がどう違うか、明確にしておく必要があります。それは魂の世界の探検でもありますから、自分の魂が迷い、空き部屋に陥ってしまうことのないためです。エドモンド・クロウニーは自分の著書の中で、これを比較して３つのことを語りました。

「キリスト教の黙想」は

第一、神様のみことばに根を下ろすことである。

第二、神様の愛に応えることである。

第三、神様に対する感謝と賛美の訓練である。[※8]

つまり、キリスト教の黙想は、神様のみことばに耳を傾けることです。

「どうか高ぶる者が恥を見ますように。彼らは偽りで私を曲げたからです。しかし私はあなたの戒めに思いを潜めます」（詩119・78）

「このみおしえの書をあなたの口から離さず、昼も夜もそれを口ずさめ。そのうちに記されていることすべてを守り行うためである。そのとき、あなたは自分がすることで繁栄し、そのとき、あなたは栄えるからである」（ヨシ1・8）

禅などの黙想は、心を開こうと努力し、この世から離れることを強調します。個人であることを忘れて、宇宙の精神に一致することを強調するのです。呪文の繰り返し、精神の集中、自己暗示などを通して、世の煩悩と苦しみを超越し、個人であるということを宇宙の精神という池に落としてしまおうと努力します。このようにして、究極的には存在の悲惨な限界から脱出することを最上の目標とします。お願いしたり、教えをいただく神もいないし、また、必要もないのです。

しかし、キリスト教の静思はそうではありません。謙虚な心で創造主の前で自らを低くし、悔い改めを通して謙遜になり、創造主のみことばに耳を傾けます。そして、徐々に神様の真理と愛のみこころに心を満たしていきます。全能者のみことばと聖潔、そしてその聖なるみこころで満たされていくことを目的にします。

1　心を開きます。

静けさと謙虚さを求めます。全能者の前に謙遜と悔い改めをもって御前に進み行きます。そして、イエス・キリストの贖いにより、すべての汚れとごう慢、罪をきよめていただきます。

2　全能者のみことばに耳を傾けます。

これはみことばを口ずさむ仕事と同じです。牛や羊が食物を食べ、それをまた戻してゆっくり消化するのと同じように、みことばを反すうする作業なのです。

3　記録されたみことばが私たちの人格をとらえ、私の思考がみことばの一部になるよう、聖霊様に助けを求めます。

「わたしの肉を食べ、わたしの血を飲む者は、わたしのうちにとどまり、わたしもその人のうちにとどまります」（ヨハ６・56）

「いのちを与えるのは御霊です。肉は何の益ももたらしません。わたしがあなたがたに話してきたことばは、霊であり、またいのちです」（ヨハ６・63）

静思とは、語られたその方が私たちのうちに内住してくださるよう自分自身の心を開いておくことです。みことばであられるイエス様が、私たちのうちに受肉されるのをゆるすことです。ですから、静思はみことばが私たちのうちで受肉される過程であるとも言えます。※9

４　静思はみことばに対する実存的な介入を通してできるのです。

ときには、あなたも台風に襲われているガリラヤの湖を訪れ、「静まれ」という主の御声を弟子たちと一緒に聞きます。またあるときは、パウロとともに伝道旅行に出かけ、苦難と迫害の現場に参加します。そしてまたあるときは、テモテの立場でパウロの手紙を受け取り、感激をもって読みます。

「すべての感覚を用いなさい」とイグナチオ・デ・ロヨラは話しました。潮風の匂いをかぎなさい。海辺の波の音を聞きなさい。集まった群衆をご覧なさい。イエス様の衣にさわりなさい。十字架上の主イエスを仰ぎ、カルバリ山でその苦しみに参加しなさい。静思しようとする事件全体をまさに目の前で起きている風景のようにあなたの豊かな想像力に任せなさい。そしてその事件に参加しなさい。そのような意味で、黒人霊歌は主の十字架の受難に参加するよう私たちを案内します。

きみもそこにいたのか　主が十字架につくとき
ああ　何だか心が　ふるえる　ふるえる　ふるえる

きみもそこにいたのか

きみも聞いていたのか　釘の打ちこむ音を
ああ　何だか心が　ふるえる　ふるえる　ふるえる
きみも聞いていたのか

きみもながめてたのか　血潮が流れるのを
ああ　何だか心が　ふるえる　ふるえる　ふるえる
きみもながめてたのか

きみも気がついたのか　突然日がかげるのを
ああ　何だか心が　ふるえる　ふるえる　ふるえる
きみも気がついたのか

きみも墓に行ったのか　主をば葬るために
ああ　何だか心が　ふるえる　ふるえる　ふるえる
きみも墓に行ったのか
（聖歌４００番）※10

ここで覚えておくべきことは、それは聖霊様がなさる仕事だということです。私たちの主イエス様がおっしゃったように、聖霊様がこのような私たちの思考活動に直接介入されて、案内してくださるということです。

「しかし、助け主、すなわち、父がわたしの名によってお遣わしになる聖霊は、あなたがたにすべてのことを教え、わたしがあなたがたに話したすべてのことを思い起こさせてくださいます」（ヨハ14・26）

「しかし、その方、すなわち真理の御霊が来ると、あなたがたをすべての真理に導いてくださいます。御霊は自分から語るのではなく、聞いたことをすべて語り、これから起こることをあなたがたに伝えてくださいます」（ヨハ16・13）

「真理によって彼らを聖別してください。あなたのみことばは真理です」（ヨハネ17・17）

イエス様は聖霊によって現在に介入しておられます。聖霊様は時間の制約を持たないので、過去の事件が私たちにとって、生々しい現在の経験となることが可能なのです。ですから、あなたは実際にその事件の中で生きておられるイエス・キリストに出会うことができ、また、その御声を聞き、いやしを体験することもできるのです。これは想像力の訓練以上のものです。これは聖霊の感動によって、神とのまことの出会いになるのです。イエス・キリストは、実際にあなたに近づいてくださいます。

５　ディボーションの方法を通してみことばを観察し、分析することによって、あなたはすぐにこの、まことの出会いを深く体験することができます。

私たちには、個人教師であられる聖霊の助けが必要です。目と心を開いてくださり、主のみ教えのくすしいことを悟らせ（詩１１９・68）、私の足のともしび、私の道の光として導いてくださるよう求めなければなりません。具体的にみことばを観察することは、大変重要です。つまり、神様がご自身をみことばの中でどのように現しておられるかを調べることです。神様の約束、命令、激励、警告、模範、避けるべき罪を臨在の中で聞く行為は、静思の神髄です。

「私の口のことばと私の心の思いとが御前に受け入れられますように。主よ　わが岩　わが贖い主よ」（詩篇19・14）

望遠鏡と顕微鏡

聖霊様が聖書を通して私たちに語られる内容は、大きく2種類に分けることができます。

一つは、聖霊様が私たちを世の中に対する預言者として用いたいと願われ、世に向かって神のみこころを宣べ伝えるために与えられるみことばです。フォスターは左手には新聞を持ち、右手には聖書を持って、今日の世界のいろいろな出来事に対して預言的な洞察力を下さいと黙想することを勧めています。※11 私たちは罪に満ちたこの世の中で、地の塩、世の光となるために何をすべきか導いてくださいと祈ることができるのです。このようにみことばが語られると、この世で起こっている事件や世俗化の流れ、霊的な流れなどを見極め、今の時代における神様のみこころは何かをはっきり宣べ伝える役割を果たすことができるのです。

これは、望遠鏡で天体の流れを観測するように、世の流れを観測するようなものです。みことばを通して聖書の価値観や思想を知り、聖霊の声を聞くことによって、世に対して神のみこころを伝えることができます。

もう一つは、個人的な導きについて、ご自身のみこころを示してくださいます。

これはあくまでも自分自身に個人的に適用し、実践するものです。私たちは個人的に示されたことに従うことで、生活の中で豊かな実を結ぶことができるのです。このディボーションは、顕微鏡で自分の内側を深く探るようなものです。

私たちは毎日、この静思の時を通して、みことばという望遠鏡を通して世の中を見、またみことばの顕微鏡で自分の罪や傷を知らされ、日々新たにされていくのです。

３ ディボーションは祈りである

「祈りは、私たちを霊的生活の未開拓地に矢を射るように送ります。それは未開拓地の領土を初めて探検することです。静思は私たちを内面の世界へ導き、断食はそこに行く手段でありますが、私たちを人間精神の一番奥深く一番高い作業に導くのが祈りの訓練なのです」

リチャード・フォスター

イエス様は、日に3度、会堂や通りで手を上げて祈ることを好む非常に宗教的な人々の前で、次のようにおっしゃいました。

「また、祈るとき偽善者たちのようであってはいけません。彼らは人々に見えるように、会堂や大通りの角に立って祈るのが好きだからです。まことに、あなたがたに言います。彼らはすでに自分の報いを受けているのです」（マタ6・5）

もちろん、祈りは公式的な集会の時にも必要です。けれども、個人的な奥の間のとき、つまり、ディボーションの時のためにもっとも大事なものです。その理由は、その真実性とその深さにあると言えます。主は「あなたがいちじくの木の下にいるのを見ました」とナタナエルにおっしゃいました。そして「まさにイスラエル人である」と称賛なさいました。ユダヤ人たちはいちじくの木の下で、たびたび個人的な祈りの時間、静思の時を持っていたからです。そのように、祈りは静かな個人の静思の時のために供えておくべき祭壇のパンのようなものです。

ウェスレイ・L・デューヴェルはこの祈りが私たちにもたらす7つのすばらしい力について語りました。それは以下の7つです。※12

1　天の御座を動かす力

2　神様とともに働く力
3　サタンを打ち破り勝利する力
4　自然原則を乗り越える力
5　山をも動かす力
6　祝福する力
7　御使いの助けを呼び起こす力

「あなたが祈るときは、家の奥の自分の部屋に入りなさい。そして戸を閉めて、隠れたところにおられるあなたの父に祈りなさい。そうすれば、隠れたところで見ておられるあなたの父が、あなたに報いてくださいます」（マタ６・６）

静思の時は祝福された祈りの時でもあります。天の御座が動かされ、悪霊が出て行き、山をも移し、御使いたちが呼び起こされ、自然の法則を乗り越え、神様とともに働き、宇宙とその中にある万物をとりなし、神様に祝福と栄光をささげる幸いな時間、神の中にとどまる時間です。

「あなたがたがわたしにとどまり、わたしのことばがあなたがたにとどまるなら、何でもあなたがたがほしいものを求めなさい。そうすれば、あなたがたのためにそれがかなえられます。」（ヨハ15・7）

レベルの高い祈りとは、神のみこころのままに祈ること、みことばに従って祈る祈りです。みことばを読み、そのみことばの通りに信仰を持って祈ること、それが神のみこころにかなった祈りなのです。

「何事でも神のみこころにしたがって願うなら、神は聞いてくださるということ、これこそ神に対して私たちが抱いている確信です。私たちが願うことは何でも神が聞いてくださると分かるなら、私たちは、神に願い求めたことをすでに手にしていると分かります」（Iヨハ5・14～15）

ロンドンで２千人の孤児たちを養ったジョージ・ミュラーは、５万回も祈りが答えられたと言われています。彼は産業革命の余波で町に孤児たちがあふれているのを見て心を痛め、彼らの面倒をみたいと祈りました。しかし、彼には全くお金がありませんでした。彼が聖書を読んでいると、一つのみことばに出会いました。

「みなしごの父　やもめのためのさばき人は聖なる住まいにおられる神」（詩68・5）

このみことばを与えられたミュラーは、みなしごの父である神が、子どもたちのためにすべてを備えてくださると確信し、人や自分に頼らず、ただ祈りによって孤児院を設立し、経営したのです。

「あなたの口を大きく開けよ。わたしがそれを満たそう」（詩81・10）

彼はこのみことばを握って、その日その日の必要を求めました。「みなしごの父である主よ、○○がありません。口を大きく開けますから、あなたが満たしてください」。このようにみことばを黙想しながら祈ることによって、彼は5万回もの祈りの答えをいただくことができたのです。

ですから、みことばを黙想し、そこで悟ったことを中心に祈るディボーションの祈りは、すべての祈りを全うするのです。

４ ディボーションは神への従順である

「謙遜は被造物の冠である。主イエスよ。私のきよめはまことの謙遜であり、また、あなたの完全な謙遜は私のきよめになるようにしてください」

アンドリュー・マーレー

従順は十字架の生き方だとある人は語りました。十字架の生き方（従順）は自己否定と仕えることという２つの側面を持っています。

十字架の生き方その１　自己否定（謙遜）

自己否定は解放への道のりです。すべての訓練の目的が自由のためであるのと同じように、従順の訓練もまた、まことの自由のためなのです。自己否定というのは自分を大事にしないという意味ではありません。自分を戒め、懲らしめるという意味でもありません。かえって自分を大事にし、尊い者とするということです。ただ一回のみの人生、世界よりも尊いいのちとして自分自身を大事にするということです。ただ、自己中心は禁物です。太陽が地球を中心にして回るのではなく、地球が太陽を中心にして回るのと同じように、世界が私を中心にして動いているのではなく、全能の創造主を中心に動いているという理解を持つことです。

このような理解に達したとき、私たちはわがままな小さい独裁者から、神の国とその義とをまず第一に求める大きな愛の器へと変えられていくのです。これが十字架の生き方（自己否定）が与える解放の贈り物です。これを積極的に表現すると、自分を明け渡すということです。自己中心の専制君主である自分を明け渡して、全能者に満たしていただくことです。自己の栄光を求める自分を無にして、被造物の謙遜な位置に戻ることです。「主よ、私を平和の道具とならせてください」と祈るべきです。なぜなら、自分をささげること（悔い改め）によって、永遠のいのちを得るからです。自分をささげることによって、まことのいのちに至るのです。自己否定とは、御霊によって生きようと努めることです。それが自分を救う道です。ですから、これは「自己実現」、または「自己成就」と表現した方がよいかもしれません。この従順の訓練は、まことの「自己実現」「自己成就」に私たちを案内する運転手なのです。ですから、主イエス様は次のようにおっしゃいました。

「それから、群衆を弟子たちと一緒に呼び寄せて、彼らに言われた。『だれでもわたしに従って来たければ、自分を捨て、自分の十字架を負って、わたしに従って来なさい。自分のいのちを救おうと思う者はそれを失い、わたしと福音のためにいのちを失う者は、それを救うのです。人は、たとえ全世界を手に入れても、自分のいのちを失ったら、何の益があるでしょうか』」（マコ８・34〜36）

イエス様の自己否定（謙遜）を考えてみましょう。

「自らを低くして、死にまで、それも十字架の死にまで従われました。それゆえ神は、この方を高く上げて、すべての名にまさる名を与えられました」

（ピリ2・8～9）

創造主でありながら、被造物のくずのように低くなられたキリストの謙遜は、彼の贖いの根本動機でありましたし、仕える姿勢の本質でもありました。であれば、被造物である私たちはなおのこと謙遜であるべきです。

アンドリュー・マーレーは、私たちが謙遜でなければならない理由を3つあげています。第一に私たちが被造物であるから、第二に私たちが罪人であるから、第三に私たちが聖徒であるから、という理由です。※13

まことの謙遜というのは、被造物としての自分の位置を明確に認識し、すべての栄光を造り主に帰そうとする心構えです。ですから、謙遜は被造物としての最大の栄光であり、冠なのです。

「主よ、私たちの神よ。あなたこそ栄光と誉れと力を受けるにふさわしい方。あなたが万物を創造されました。みこころのゆえに、それらは存在し、また創造されたのです」（黙4・11）

十字架の生き方その2　仕えること

仕えることは十字架のもう一つの面です。自己否定が十字架の根本的な面だとすれば、仕えることはその方法です。自己否定が従順の内面的なことであるなら、仕えることはその外面的な姿勢です。ですから、仕えることは謙遜（自己否定）という内面の助けなしには意味をなしません。イエス様が「人の子が、仕えられるためではなく仕えるために、また多くの人のための贖いの代価として、自分のいのちを与えるために来た」（マタ20・28）とおっしゃって、贖いの死を通して父のみこころに完全に従うことができたのは、彼がご自身を完全に無にすることができたからです。

独善的な奉仕は、仕えた分だけ報われるかどうか、その結果がいかに期待通りのものであるかに大きな関心を持っているのです。自分が仕えた人が報いを与えてくれるかどうかが気になります。そして、その結果が期待通りでないとさびしく思うのです。

また、独善的な奉仕は対象を選びます。時には高い地位についている人々がその対象になります。そうすると、利益が保証されるからです。また、時には貧しい人々も奉仕の対象になります。そうすれば、多くの人々に謙虚な印象を与えることになるからです。

さらに、独善的な奉仕は共同体を破壊します。突き詰めてみると、どんな形であるにせよ、それは自分の栄光と利益を中心としているからです。イエス様が最後の晩餐の座に着かれたとき、誰が一番偉いかという論争が起こりました。誰が一番偉いかという問題は、誰が一番小さい者かという問題にもなります。おおよそ、私たちは自分が一番偉い者でないにせよ、一番小さい者にだけはなりたくないという願いを抱いているのです。弟子たちは誰かが人々の足を洗ってあげなければならないことを敏感に悟っていました。問題は足を洗ってあげる人は一番小さい者であるということです。ですから、彼らはその汚れたままの足で、じっと座っていたのです。微妙な問題だったので、これが問題であることすら誰も話題にしようとしなかったのです。一番小さい者として扱われるのがいやだったからです。そのとき、イエス様が手ぬぐいとたらいを持って来られ、一番小さい者になり、ひとりひとり、12人の足をみんな洗ってくださいました。

「しかし、あなたがたの間では、そうであってはなりません。あなたがたの間で偉くなりたいと思う者は、皆に仕える者になりなさい。あなたがたの間で先頭に立ちたいと思う者は、皆のしもべになりなさい」（マコ10・43～44）

「主であり、師であるこのわたしが、あなたがたの足を洗ったのであれば、あなたがたもまた、互いに足を洗い合わなければなりません」（ヨハ13・14）

イエス様の生き方は私たちの模範です。彼の従順は私たちのモデルです。彼の全生涯がこの十字架、すなわち、従順と結びついています。彼は神様であられました。彼は万物の上に高く上げられた王様でした。しかし、彼はしもべとして来られました。被造物になりました。自分をささげられました。仕えられるのではなく、仕えました。父のみこころに従い、死にまで従われました。彼の人生は仕えることでした。仕えることは従順の道、十字架へと導く道でした。

しもべなる主（The Servant King）

天より降り　栄光をかくし
仕えるために　いのちもいとわず
※しもべなる王は「従え」と今呼ぶ
「その身を供え物とし、ささげよ」と主は呼ぶ

涙と重荷　負ってくれた主は
「みこころのままに」ともがき祈るの
主の手と足の　傷跡を見つめ
しもべなる主の　犠牲を覚えよう
人に仕えるは　主に仕えること
御座を見上げ　学び従おう

みなさんの中には、この世でこんなに苦しみを強いられているのに、さらに私たちに犠牲を求めるのですか、とおっしゃる方がおられるかもしれません。もし、そういう方がいらっしゃるのでしたら、イエス様の約束とその姿に注目してください。イエス様は一番小さい者の栄光を教えられました。つまり、一番小さい者が一番偉くなると教えられたのです。そして、イエス様ご自身がそうなられました。

「自らを低くして、死にまで、それも十字架の死にまで従われました。それゆえ神は、この方を高く上げて、すべての名にまさる名を与えられました。それは、イエスの名によって、天にあるもの、地にあるもの、地の下にあるもののすべてが膝をかがめ、すべての舌が『イエス・キリストは主です』と告白して、父なる神に栄光を帰するためです」（ピリ2・8〜11）

西洋の「十字架なしには冠もない」(No cross no crown) ということばはまさに、この聖句から生まれたことわざです。すべての従順と奉仕には、いのちと栄光の約束が保証されているのです。ある者は地上で、１００倍もの報いをいただくと約束されているのです。

「信仰によって、モーセは成人したときに、ファラオの娘の息子と呼ばれることを拒み、はかない罪の楽しみにふけるよりも、むしろ神の民とともに苦しむことを選び取りました。彼は、キリストのゆえに受ける辱めを、エジプトの宝にまさる大きな富と考えました。それは、与えられる報いから目を離さなかったからでした」（ヘブ11・24〜26）

ディボーションの大事な要素は、神様のみことばに対する従順にあります。静思の時間を通して神様のご臨在と啓示の光をいただき、神様の御国にとどく祈りの小道に沿って歩き、栄光の御座へと導かれます。

また礼拝を通してその王の王を賛美し、ほめたたえ、遣わされた御国の大使として、また、キリストの使徒として、この悲しい世にまた戻り、神様のみこころを行うことができなければなりません。それがたとえ十字架の道であっても、いのちを得る道であり、自分を成就していく道なのです。たとえ、それが自分を無にして低くすることであっても、自らを高め、神様の愛と謙遜を追い求める共同体の生き方なのです。

ディボーションでいただいた教えに従っていくことは、信仰の実を結ぶことにつながります。ヤコブの手紙が従順と行いを強調しているように、この静思の究極的な実はこの行いの信仰、従順の信仰です。この従順の方法は仕えることであり、その姿が十字架なのです。今世紀の偉大な著者であるリチャード・フォスターはこう語りました。

「十字架が従順の旗であるならば、手ぬぐいは仕えることの象徴です。復活されたキリストが手ぬぐいの使命へと手招きしておられます。内面の人格からわき出る仕える姿勢こそ、いのちであり、喜びであり、平和なのです」※14

私たちは毎朝、静思のとき、多くのキリストのしもべたちが祈るように祈らなければなりません。

「主よ。今日も私が仕えるべき人を送ってください。また、私が主の復活の力を体験することができるように、従順の霊を注いでください。仕える者にならせてください」

５　ディボーションは恵みの年を宣言することである（Celebration of The Year of Jubilee）

十字架の従順は、それがどんなに復活の栄光と自由のためであったとしても、仕えることと自己否定という重荷を背負います。しかし、メシアの就任のとき、イエス様が就任の挨拶のように語られた言葉を読むと、恵みの年の宣言というのは本当に喜ぶべき祭りの大宣言であることにすぐ気がつきます。イエス様はお働きを始められるとき、ナザレの会堂でこう宣言されました。

「主の霊がわたしの上にある。
貧しい人に良い知らせを伝えるため、
主はわたしに油を注ぎ、

わたしを遣わされた。
捕らわれ人には解放を、
目の見えない人には目の開かれることを告げ、
虐げられている人を自由の身とし、
主の恵みの年を告げるために」（ルカ４・18～19）

そして、そこに集まった人たちに、「あなたがたが耳にしたとおり、今日、この聖書のことばが実現しました」（ルカ４・21）と宣言されました。

ここに出て来る主の恵みの年というのは、レビ記に出て来るヨベルの年の成就を語っているのです。

「あなたは安息の年を七回、すなわち、七年の七倍を数える。安息の年が七回で四十九年である。あなたはその第七の月の十日に角笛を鳴り響かせる。宥めの日に、あなたがたの全土に角笛を鳴り響かせる。あなたがたは五十年目を聖別し、国中のすべての住民に解放を宣言する。これはあなたがたのヨベルの年である。あなたがたはそれぞれ自分の所有地に帰り、それぞれ自分の家族のもとに帰る」
（レビ25・8〜10）

イスラエルの民は50年ごと、つまり一生に一度しか迎えることのできない国民的な大祭、喜びの年を迎えます。この年にはすべての貧しい人々、罪を負う人々、負債を負って抑圧された人々に自由が宣告されます。奴隷になった人々、しもべになった人々、負債を負って抑圧されている人々は、無償でその年から、永遠の自由が宣言されます。大祭司は2匹のやぎを捕らえ、1匹はアザゼルのやぎとしてすべての民の罪を負わせ、転嫁の祈りをして荒野に追い出します。また、もう1匹は殺してその血を祭壇の上に散らし、すべての罪の贖いをさせます。

その後、羊の角で造った角笛（rams hor）を吹きます。そのとき、すべての罪と負債が無条件で無償になるのです。負債を負って奪われた土地、貧しさのゆえに売り渡した祖先の土地なども同時に無償で返還されます。離散した家族や、奴隷になっていた子どもたちが、自由の身になって祖先の土地に戻ってきます。こんなにうれしい日がまたと地上にあるでしょうか。自由を取り戻した日、すべての負債と罪をなくしていただいた日、祖先の土地と財産を戻してもらった日、これが恵みの年の宣言なのです。大祭司が喜びの角笛を吹くと同時に、このヨベルの年、恵みの年は宣言され、始まるのです。

イエス・キリストはその働きを始められるとき、そのナザレの会堂で、あなたがたの身に今日これが成就されたのですとおっしゃいました。モーセやイザヤによって語られた預言の成就を宣言されたのです。言うまでもなく、イエス・キリストはこの恵みの年の宣言者であられます。彼はアザゼルのやぎとして民の罪を背負い、神殿から追い出され、十字架を背負って歩まれました。世の罪を背負って歩く贖いの小羊として、ゴルゴダの祭壇の上の十字架上で殺され、血を流し、私たちのすべての罪を贖ってくださいました。そして私たちを神の子どもとし、永遠のいのちを与えてくださり、永遠の神の御国の相続者としてくださいました。恵みの年の宣言は、メシアが私たちに与えられたセレブレーション、つまり、すべての奴隷の状態からの自由を意味します。

それは運命と宿命からの自由です。

「あなたがたは真理を知り、真理はあなたがたを自由にします」（ヨハ８・32）

肉体と罪の刑罰からの自由です。肉の欲から、目の欲から、世的な自慢の奴隷からの解放です。

「兄弟たち。あなたがたは自由を与えられるために召されたのです。ただ、その自由を肉の働く機会としないで、愛をもって互いに仕え合いなさい」

（ガラ５・13）

また、律法からの自由です。死とその苦しみ、また恐れからの自由です。のろいと恐怖、悪魔のすべての告訴から自由にされました。

「キリストは、自由を得させるために私たちを解放してくださいました。ですから、あなたがたは堅く立って、再び奴隷のくびきを負わされないようにしなさい」
（ガラ5・1）

そして、神の子としての自由です。聖霊に満たされることで、私たちは神の子どもとしてまことの自由を得ました。

「主は御霊です。そして、主の御霊がおられるところには自由があります」
（IIコリ3・17）

どんなにうれしい日でしょうか。この完全な自由が宣告されたのです。これがもう私たちに与えられているということです。この宣言がなされたのですから、どれほどの喜びでしょうか。それだけではありません。永遠の相続地、神の土地、神の御国が私たちに与えられました。そして、私たちは神の御国の市民（ピリ３・20）になり、神の御国の相続者となりました。すべての罪と負債が無償になりました。この恵みの時がメシアによってモーセに宣告され、成し遂げられたのですが、問題は私たちがその角笛を吹き、その恵みの年を隣の人々に宣言しないことです。私たちはもうすでに、永久に聖霊の恵みの年の中に招かれ、安息の祝福と喜びの宴会に招待されたのです。それなのに、いつまで暗やみの中にとじ込められて、憂いの詩を書いていなければならないのでしょうか。

ヨベルの年の訓練は、ディボーションの生活において、もう一つの大事な要素です。十字架はこの祭りの日のはじめですが、復活はこの恵みの年の成就でした。私たちは再びイエス様が来られるとき、御使いたちの角笛のラッパとその号令によって、空中に引き上げられ、その日神の子どもとして、ヨベルの年を味わうことになるでしょう。

喜びは聖霊の実の一つです（ガラ５・22）。喜びはエネルギーを生み出します。「主を喜ぶことは、あなたがたの力だからだ」（ネヘ８・10）と語っています。

パウロは獄中で「いつも主にあって喜びなさい。もう一度言います。喜びなさい」（ピリ４・４）と語りました。

すでに宣告された喜びの年は、私たちの暮らしの中で毎日宣言されなければなりません。キリストによる完全な自由、贖いによる完全な赦し、神の子どもとしての完全な相続権、これらは私たちの生活のすべての領域において、どんな場合でも、どんなことがあっても、毎日の静思の時に、信仰によって宣言され、生活の中で実現されなければなりません。これは福音なのです。

キリスト者の生活の特徴は、完全な喜び、完全な自由、完全な祝福です。この福音は主の恵みと聖霊の励ましによって、私たちが接するすべての人たちに宣べ伝えられ、宣言されなければなりません。抑圧された人々には自由を、病人にはいやしを、傷つけられた人々には慰めを、差別と束縛の中で苦しむ人々には平和と平等の光が照らされなければなりません。これがまず霊的な意味で、個人個人の魂の中に完全に成就されるべきです。また、これは私たちの現実の生活の中においても、また社会的にも成就されていかなければなりません。差別がなくなり、平等と平和と自由と公平が行われる世界になるべきです。これがヨベルの年、恵みの時を毎日宣言するキリスト者の社会的な責任であり、世の光、地の塩としての使命です。私たちはディボーションの時間に、神の臨在の中で神の御国の大祭を体験するのです。これこそディボーションの目的地であり、終着地でもあります。

すべての訓練の目的がここにあります。私たちの経験がここに満ちなければ、まだ私たちは宗教的な悲惨さの中で解放されずにいるに違いありません。

イスラエルの民が神の力によってエジプトの王の手から救い出されたとき、女性預言者ミリアムは喜びにあふれ、民と踊りました（出15・20）。詩篇１５０篇では、神の民が角笛を吹き鳴らし、琴と竪琴を奏で、タンバリンと踊りをもって、弦を鳴らし、笛を吹いて、音の高いシンバルで神をほめたたえよと勧めています。ダビデは人々の前で子どものように踊り、愚か者のようにされました。

韓国の孫良源《ソンヤンウォン》牧師は、「愛の原子爆弾」と言われたほどの信仰者でした。彼はハンセン病患者たちの教会で一生を過ごしました。また、２人の息子を殺されましたが、犯人を赦して自分の養子として受け入れ、大統領宛てに許しを求める手紙を出しました。そして、10項目にわたる感謝の課題を挙げ、日曜日のメッセージで感謝をささげました。彼は夜中神様の前で、うれしさのあまりフラフフと踊ったそうです。彼は、韓国教会が生んだ愛の使徒だったのです。

もし私たちがディボーションの中で恵みの年を宣言して生きているならば、おおよそ、精神的な病、病気、憂い、悩みから自由を得ることができると思います。恵みの年、祝福の雨を、毎日あなたの静思の時間を通していただきませんか。

第3章

ディボーションの原理

1 聖霊のご臨在と開心（「ディボーションは礼拝である」を参照）

「開いてください、こころの目を。さらに深く主を知るために。開いてください。こころの耳を、さやかな御声を聞き取るために」

ボブ・カール

ここからは、実際にどのような順番でディボーションをしていけばよいのか、やり方と、大切な原則について、説明していきたいと思います。

サムエルは主の御声を聞き取ることができませんでした。3回も主がサムエルをお呼びになったのに、彼は主だとは悟りませんでした。失敗の後、彼は先生エリの教えに従って、それが神様の御声であることを悟ることができました。（Ⅰサムエル3章）

主が十字架につけられて葬られた後、先生を失って悲しむ2人の弟子がエルサレムから半日の道のりのエマオというところに下っていました。落胆と悲しみの中、彼らは途中で加わった旅人とこの十字架の事件を話しながら歩きました。そこで、彼らは激しくその旅人から叱られました。

「ああ、愚かな者たち。心が鈍くて、預言者たちの言ったことすべてを信じられない者たち。キリストは必ずそのような苦しみを受け、それから、その栄光に入るはずだったのではありませんか」（ルカ24・25～26）

そして、律法と預言者たちのことばから、くわしくキリストの負うべき苦難と復活のことを説明されました。そのとき、やっと彼らはキリストの苦難の意味と復活の真実を悟りました。後でその方が復活されたイエス・キリストであることを知り、「道々彼が私たちに聖書を説き明かしてくれたとき、私たちの心が燃えていたのではないか」と叫びながら、エルサレムに戻ってその事件を証ししました。

主イエスが聖霊を通してみことばを説き、説明してくれる前にも、彼らは何回もイエス・キリストの十字架の苦難と復活の栄光のことを聞きましたが、その意味を少しも悟ることができませんでした。聖霊を通して訪ねて来られ、主が直接その意味を説き明かしてくださらなければならなかったのです。聖霊が目と心を開いてくださらなければならなかったのです。それは「聖書はすべて神の霊感によるもので」（Ⅱテモ３・16）、聖霊ご自身が著者であられるからです。神様が預言者たちの人格を聖霊によって感動させ、神のみことばを書かせたのです。ですから神のくすしくて深いことが書いてあるのです。特に預言は、曲解すると自分自身に滅びを招くとも書いてあります（Ⅱペテ３・16）。ですから、神のみことばのくすしいことを調べることを誰よりも楽しんでいた詩篇１１９篇の著者は、このように祈りました。

「私の目を開いてください。私が目を留めるようにしてください。あなたのみおしえのうちにある奇しいことに」（詩１１９・18）

聖霊はこの章の主題です。ご存じのように、キリスト者が聖霊をいただいていることは、五旬節以来、もっとも大事なことです。ディボーションをもつことにおいても、私たちが聖霊を内住していただいているという事実こそ、いのちの脈拍であるのです。

「わたしが父にお願いすると、父はもう一人の助け主をお与えくださり、その助け主がいつまでも、あなたがたとともにいるようにしてくださいます」

（ヨハ14・16）

ここの「もう一人の助け主」ということばは、アロス・パラクレートス（ἄλλον Παράκλητος）ということばですが、このアロスということばは「質が同じ」という意味です。同じ製品のもう一つ、また、双子のようなもう一人のお方というような意味で、パラクレートスということばは「そばにいて叫び、弁護し、助けてくださる方」という意味です（Ⅰヨハ2・1）。イエス様が最初の助け主であられますから、もう一人の助け主とは聖霊様です。この方は、そばにいて叫び、弁護し、助けてくださるイエス様と双子のような方なのです。イエス様は昇天されてから、この方を送られたのです。この方が永遠に私たちとともにおられ、私たちのそばにおられ、私たちの中に内住され、助けてくださる主なる方なのです。

この事実を知るということは、物乞いをして暮らしていた私生児が、億万長者である本当の父を見つけたようなものです。この助け主の聖霊が私たちとともにおられないのだとしたら、私たちは神のみことばを解釈することはできません。みことばの中から神の御声を聞き取ることもできません。みことばを通して神の導きを得ることもできません。そのときは、聖書のみことばは単なる一つの律法であり、私たちの生活の規則に過ぎません。しかし、聖書の著者であられる聖霊ご自身が、私たちの中に住まわれ、自ら聖書の解釈者になってくださり、私たちが御父の人格的な御声を聞き、導きをいただくことができるようにしてくださるのです。聖霊はあなたの家庭教師です。親切にそばにいてくださる個人教師なのです。彼はあなたを助けるために来られ、サムエル、サムエルと呼ばれたようにあなたの名前を呼び、人格のドアを開くのを待っておられるのです。
　この臨在の意識は、ともにおられる主の御姿を確認するためにとても大切な手がかりです。すべてのクリスチャンは、この御霊のご臨在の信仰がなくては、神様を見ることができないのです。

　「信仰がなければ、神に喜ばれることはできません。神に近づく者は、神がおられることと、神がご自分を求める者には報いてくださる方であることを、信じなければならないのです」（ヘブ11・6）

　ディボーションのときに主に会おうと願う者は誰でも、神がおられることを信じなければなりません。エノクはこの信仰で神様とともに歩き、神に喜ばれる者と称賛され、死を味わうことなく神のみもとに引き上げられました。このご臨在の訓練は小さなことから実践してみるとよいでしょう。たとえば道に迷ったとき、主がともにおられることを意識し、主に感謝と賛美をささげながらあなたの道を聞いてみてください。驚くほど彼はあなたの心を静かにし、教えてくださると思います。私にもこういう経験は何度もあります。難しい問題にぶつかったとき、知恵がなくてどうしたらよいかわからないとき、彼のご臨在を認め、賛美と感謝をささげながら、知恵を与えてくださいと要求してみてください。彼は絶対にあなたの要求を拒むことはなさらないでしょう。

人格的な存在というのは、認められなければ積極的に助けることはしません。また、自分の姿を現しません。聖霊様も人格者なのです。さらに彼は神様で、全能なる私たちの王様なのです。あなたがこのお方をあなたの王として認め、受け入れ、そのご臨在のもとに立つとき、どんなときでも彼はあなたの助け主、主、すばらしいカウンセラー、愛の王様、平和の君、優しい牧者になってくださいます。

ですから、ディボーションのとき、必ずまず父なる神、子なるイエス、聖霊の神のご臨在を認め、黙想して、まずこの方に礼拝と賛美をささげなさい。感謝をささげ、神のご臨在をあなたの口で告白してください。

そして、こう祈りましょう。

「私の目を開いてください。主の御教えにあるくすしいことに目を留めるようにしてください。私のこころを開いてください。優しい主の姿を見ることができますように。私の耳を開いてください。さやかな御声を聞きとるために」

2　静聴（「ディボーションは静思である」を参照）

「聖書のみことばを祈りとともに読む新しい方法を通して、あなたは花の中に深く入り込む蜂のようになるでしょう。神様のご啓示が示されている甘い香りとともに、花の中に深く隠れている蜂蜜を得るようになるでしょう」Ｊ・ギオン

「孤独の中に堅く立っていなさい。そうすればあなたは、あなたの心に訪ねて来られた彼に出会うようになるでしょう」とアビラのテレサは語りました。

「しかし主は、その聖なる宮におられる。全地よ、主の御前に静まれ」（ハバ２・20）

沈黙するということは、耳を傾けて聞くということを前提にしています。聞くために待つということです。しゃべることより沈黙するということは、どんなに難しいかを現代人はよく知っているようです。それは、聞くことができない状態になってしまったということの証明でもあります。沈黙を恐れるようになってしまったのです。聞く準備ができていないということです。ああ、どんなに驚くべきことでしょうか。現代人が沈黙をしながら待っている時間はたった15秒だという人がいます。自動販売機の前でコインを入れて物が出るまで待つのがせいぜい15秒で、もし15秒が過ぎたら、販売機を壊そうとする人もいるということです。

信仰生活においてもこのような現象が起こっています。神様の御前に出て、神様の御声に耳を傾けることより、バーゲンセールで一日中自動的にしゃべっている録音のように、自分のしゃべりたいことだけを語って祈っている人々がたくさんいるということです。彼らは一方的に御座に向かってCMソングを歌い、宣伝広告をしてから急に立ち上がり、また自分の都合のために出かけます。こういう人々に向かって、主イエスはこのように注意されました。

「また、祈るとき、異邦人のように、同じことばをただ繰り返してはいけません。彼らは、ことば数が多いことで聞かれると思っているのです。ですから、彼らと同じようにしてはいけません。あなたがたの父は、あなたがたが求める前から、あなたがたに必要なものを知っておられるのです」（マタ6・7〜8）

本当に神様が私たちに求めておられるのは、人格的な交わりなのです。対話を求めておられます。愛の交わりをなさりたいのです。一方通行ではありません。宣伝広告やＣＭソングのような祈りには、もう飽きてしまったのです。神様は何を望んでおられるでしょう。

「神の宮へ行くときは、自分の足に気をつけよ。近くに行って聞くことは、愚かな者たちがいけにえを献げるのにまさる。彼らは自分たちが悪を行っていることを知らないからだ。神の前では、軽々しく心焦ってことばを出すな。神は天におられ、あなたは地にいるからだ。だから、ことばを少なくせよ」（伝5・1〜2）

　ここを見ると、何がよいことで、何が悪いことであるかをよくわきまえるために神様の御声を聞こうとはしないで、気ままに礼拝をささげる人たちを愚かな者だと叱っておられます。そして、愚かな者にならないために、近づいてみことばを聞き、教えをいただくのが正しい態度であると言っています。急いで勝手に祈ろうとするより、また、よく意味も悟っていないことばを繰り返すより、まずみことばを十分黙想し、そこから得た悟りを通して謙遜に神様に答える祈りをささげなければならないということです。ディボーションの祝福は、十分神様のみことばに耳を傾けて神様の御声を聞き、そのみことばにしたがって完全に深い祈りの中にはいることです。

静聴の準備

　ディボーションのときにはよく聞くためにいくつかの気をつけなければならないことがあります。

１　ディボーションは聖書研究の時間ではありません。

「人はパンだけで生きるのではなく、神の口から出る一つ一つのことばで生きる」
（マタ４・４）

ディボーションの時間は、神様のみことばを魂の糧として食する時間です。辞典や注解書、参考書物を調べるより、私個人に今、与えようとしてくださるいのちの糧、今日のマナをいただくために期待をこめて静かに神の御前で耳を傾けることです。知的好奇心もあるでしょうが、限られたこのディボーションの時間に参考文献を調べていたら、神様は離れていってしまい、自分一人で学問に夢中になってしまう危険性があるのです。たとえ全部知ることはできなくても、悟ることができるように求めましょう。私たちが神様の聖なる子どもとして成長しないのは、聖書に対する知識が足りないからではありません。それは、悟ったみことばを魂の糧として十分消化し、それを毎日の生活の中で実践しないからです。

2　適当な量だけディボーションしましょう。

神様は私たちに、聖書をたくさん読みなさいと命令されたのではありません。かえって昼も夜もそれを口ずさみなさいとおっしゃいました。また、その悟ったみことばに従うことが大切だと教えられました（マタ7・24）。ですから、ディボーションのときのみことばは、その日、口ずさんで消化し、実践に移すことができるくらいの量を選んだ方がよいのです。時間の長さによって、また人によって多少差はありますが、大体ひとつのストーリーか、書簡書であれば10節から15節、また箴言なら数節ぐらいディボーションするのが適当であると人々は証ししています。

3　毎日規則的にディボーションしましょう。

もちろんこれは律法ではありません。疲れて起きることができないときは、ぐっすり休むのもよいことです。また特別な祈りとか、聖書勉強にもっと深く入りたいと思うときはそうしてもよいのです。

また、特別集会や、日曜日のいろいろな礼拝を通して十分神の恵みをいただき、満足しているのに、さらにディボーションを必ずしなければならないということでもありません。また、時には人々は霊的に過敏な状態に陥る場合もあります。その場合はかえって霊的に断食をするのがよいときもあります。

自然は美しいものです。一般恩寵も神様が第一に与えてくださった愛の祝福なのです。自然を楽しみ、よい食事をし、休暇をとるのもよいことです。レクリエーションやスポーツなども精神の緊張を和らげてくれます。ですからこういうことを通して、霊的過敏の状態から解放されなければなりません。こういうときは、かえって魂の糧に対する飢え渇きが生じるまで、魂の断食の期間をもつのがもっと助けになる場合もあります。※15

しかし聖書はいのちの糧を象徴するマナを、その日その日、毎朝、収穫するように命じました（出16・12、21）。

また、祭壇には毎日新しいものをささげました（出29・38〜43）。ダビデも毎日ディボーションをしましたし（詩61・88、86・3）、パウロも毎日祈りました（Ⅱテモ１・３）。

ですから、基本的には毎日規則的にするのがよいのです。できれば、時間も同じ時間にするのがよいでしょう。ほとんどの場合は、その日の働きを始める前に、主と交わりをし、その日の導きをいただくのが理想的だと言えます。

「実に、私たちは滅び失せなかった。主のあわれみが尽きないからだ。それは朝ごとに新しい。『あなたの真実は偉大です。主こそ、私への割り当てです』と私のたましいは言う。それゆえ、私は主を待ち望む」（哀3・22〜24）

4　計画的に作られているディボーションの日課表を使えば助けになります。

ディボーションをするとき、私たちは創世記から黙示録まで聖書全体を順番通りにしようとしたり、聖書のある巻を最初から終わりまで全部やってから、ほかの巻に移ろうとする計画を立てがちです。しかし、これは疲れ、しまいにはやりたくなくなってしまいます。その上、魂の糧も偏って、私たちの魂がバランスよく育つことができません。

例えば、出エジプト記から申命記までは、１年以上、ささげ物をささげる規則とか、神殿の話をずっと黙想しなければならないでしょう。また、歴代誌と列王記では、もうすでに読んだものを２回繰り返して読むことになり、疲れやすいです。預言書だけで１年も２年もディボーションしていたら、内容があまりにも堅くて、愛の欠乏症にかかるかもしれません。ですから、専門家たちが作ったディボーションの日課表を使うのも賢いことです。それに従ってディボーションすれば、２、３年のうちに聖書全体をバランスよく黙想することができます。

静聴の方法（2Light Devotion）

１　観察（Observation）

その日のみことばをゆっくり注意深く読みましょう（read carefully）。神様のみことばは、読みながら聞くものです。読みながら聖霊様の御声に耳を傾けることです。そして、そのみことばを色鉛筆で印をつけながら、注意深く調べましょう(examine his word)。

そして、全体の意味を把握しましょう。その日のみことばの内容と全体の輪郭、主題などをまず把握することが大切です。そして全体の意味をとらえることです。

2　インスピレーショナルライト（Inspirational light ――直感的な光）

次に、みことばを通して、神様が語られることに耳を傾けていきましょう。御声を聞く方法は、大きく分けて2つあります。

それを「2ライトディボーション（2light devotion）の方法」と言います。

つまり、2種類の聖霊の光を通して、神の口から出る一つ一つのみことばを聞き取ることができるということです。

最初の光は、直感的な光（インスピレーショナルライト）でみことばを照らしていただく方法です。

これは、聖書が書かれたレベルの啓示（神の霊感）とはもちろん異なります。私たちには聖霊が与えられているので、その聖霊の光に頼ってみことばを黙想するとき、主が直感的に自分に何を語っておられるのかを悟ることができる、ということです。

「助け主、すなわち、父がわたしの名によってお遣わしになる聖霊は、あなたがたにすべてのことを教え、わたしがあなたがたに話したすべてのことを思い起こさせてくださいます。」（ヨハ14・26）

イエス様が助け主聖霊様を紹介されるとき、この方があなたがたにすべてのことを教え、わたしが語った言葉を思い起こさせてくださるとおっしゃいました。これこそ、聖霊のインスピレーショナルライトの働きです。

主はぶどうの木　私は枝です

いつも離れずに
主はぶどうの木　私は枝です
豊かな実を結ぶ

みことばに　とどまり
愛に生きるなら
この世は知るでしょう
主の救いといやし（ヨハ15・1〜6）

「あなたがたがわたしにとどまり、わたしのことばがあなたがたにとどまっているなら、何でも欲しいものを求めなさい。そうすれば、それはかなえられます」
（ヨハ15・7）

私たちと主との関係は、互いに常に交わりを保ち、御霊によってみこころを知り、深く語り合える関係です。

ですから、聖霊様は私たちの置かれている様々な問題や状況において、心を開いて聞く姿勢を持っている聖徒たちには、間違いなくみこころを示してくださるのです。私たちはそれを、みことばを黙想しているうちに、直感的に受け取ることができるのです。

３　イルミネーショナルライト（Illuminational light ── 照明の光）

２つ目のライトは、照明の光（イルミネーショナルライト）です。

神様の御声を直感的に悟ることもありますが、ときにはどんなことを教えておられるのか、よくわからない場合もあります。意味はわかっても、単なる知識としてわかるだけで、心に響かないこともあります。

みことばを通して神様の御声を聞く鍵は、みことばを口ずさみ、黙想するところにあります。みことばを繰り返して思い巡らすために、どうすればよいでしょうか。

たとえば、宝石店に行くと、高価な宝石などには、特別に照明を照らして、よく見えるようにしています。その照明がなければ、高価な宝石であっても、細かいデザインや繊細なカッティングなどを見ることができません。ですから、特別な照明灯が必要なのです。

芸術品も同じです。博物館に行って、高価な絵や美術品を閲覧するときも、照明灯を通して、その高価で尊い芸術性を見分けられるようにしているのです。

神のみこころが私たちに示されるときも、神様の特別な照明灯があることをご存じでしょうか。聖書はこのように、はっきりと神のみこころを教えるための細かい照明灯があることを教えています。

「聖書はあなたに知恵を与えて、キリスト・イエスに対する信仰による救いを受けさせることができます。聖書はすべて神の霊感によるもので、教えと戒めと矯正と義の訓練のために有益です。神の人がすべての良い働きにふさわしく、十分に整えられた者となるためです」（Ⅱテモ３・15～17）

イルミネーショナルライト、つまり、聖書がある主題を悟らせるために照らす照明灯には、次のようなものがあります。

・イエス・キリスト（神様）を示す照明灯
・神の教えを示す照明灯
・神様の戒めを示す照明灯
・聖徒たちの曲がった悪習慣などを照らし、矯正するための照明灯
・義の訓練のための照明灯などです。

その目的は、神の人がすべての良い働きにふさわしく、十分に整えられた者となるためです。

それでは、順にこの照明灯に従って、静聴を進めていきましょう。

(1)神はご自身をどのように現しておられるか（God himself）

神様はどういうお方であられるかを黙想しましょう。その日のみことばの中で、神様はご自身をどのようなお方として現されていますか。

「永遠のいのちとは、唯一のまことの神であるあなたと、あなたが遣わされたイエス・キリストを知ることです」（ヨハ17・3）

私たちが信じているまことの神様とは、どのようなお方なのかを知ることこそ、信仰の成長につながります。父なる神様、御子イエス・キリスト、聖霊なる神様を、みことばから探しましょう。

ヘブル人への手紙1章1〜3節には、神様がどのように人々にみことばを語っておられたかをよく記しています。

「神は昔、預言者たちによって、多くの部分に分け、多くの方法で先祖たちに語られましたが、この終わりの時には、御子にあって私たちに語られました。神は御子を万物の相続者と定め、御子によって世界を造られました。御子は神の栄光の輝き、また神の本質の完全な現れであり……」（ヘブ1・1〜3）

「あなたがたがわたしを知っているなら、わたしの父をも知ることになります。今から父を知るのです。いや、すでにあなたがたは父を見たのです。」(ヨハ14・7)

神様は預言者たちを通してでも語られましたが、究極的にはご自身の御子を私たちに送り、この御子を通して私たちに直接語られたのです。その御子の姿は、神ご自身の姿です。神様ご自身(父なる神様・御子なるイエス様・聖霊様)や、出来事の背後に神様が関与しておられる姿を見つけるならば、これは神様の人格に接し、その形を見たことになります。

光のないところでは何も見ることができません。同じように、私たちは神の啓示の光(みことば)を通してのみ、神様をよく見ることができます。また、その神様の啓示の光(御姿、ご人格)のもとで初めて自分の本当の姿を見ることになります。

どんなに多くの人々が、神様を正しく知らないがゆえに、悲惨な生活をしているかしれません。ある人々は、神様を何か罰を与える警察や裁判官かのように考え、いつも恐怖に震えています。その反対に、ある人々は、神様はいつもは遠くに離れていて、必要なときに求めると出てきて助けてくれる方だと考え、ご利益的信仰を持っています。

神様を正しく知るなら、神様の愛、全知全能、きよさ、義、永遠性、偉大さ、慈愛深さなどに具体的に触れ、体験することができます。そして、私たちを感激と恵みの頂きへと案内してくれるのです。

(2)教え（SPACE）

神様が私に与えてくださる教えを聞いていきましょう。神様は私たちに、理由なくご自身の御姿や人格を現してくださることはありません。聖書は語っています。

「かつて書かれたものはすべて、私たちを教えるために書かれました。それは、聖書が与える忍耐と励ましによって、私たちが希望を持ち続けるためです」（ロマ15・4）

「聖書はすべて神の霊感によるもので、教えと戒めと矯正と義の訓練のために有益です。神の人がすべての良い働きにふさわしく、十分に整えられた者となるためです」（Ⅱテモ３・16〜17）

「主のおしえは完全でたましいを生き返らせ　主の証しは確かで浅はかな者を賢くする。主の戒めは真っ直ぐで人の心を喜ばせ　主の仰せは清らかで人の目を明るくする」（詩19・7〜8）

「あなたのしもべもそれらにより戒めを受けそれを守れば大きな報いがあります」（詩19・11）

神様はみことばを通して、具体的に私たちに命令や警告、また慰めや励ましを与えてくださいます。これらはすべて、私たちがみことばを思い巡らし、黙想する中で、聖霊様が自ら教えてくださるものです（ヨハ16・8）。ですから、今日のみことばの中で、主が私に何を命令しておられるか、人生のモデルは何か、警告や避けるべき罪についてはどうおっしゃっておられるか、慰め、約束、なすべき使命、ささげる感謝、たたえる賛美などをよく聞くようにしなければなりません。

ある人々は、神様の御声を聞くために、次の5つの頭文字を取って「SPACE」という方法を用いています。

①示された罪はないか（Sins to confess）
②約束、慰めはないか（Promises to claim）
③避けるべき行動はないか（Actions to avoid）
④従うべき命令はないか（Commands to obey）
⑤ついて行くべき模範はないか（Examples to follow）

4　示されたことをノートに記録しましょう。

神様のみことばが、もしその時代だけで語られ、それが人々によって記録されていなかったとしたら、今私たちはどうなっていたでしょうか。ほとんどの人々が神様の御声を聞くことができず、神様のみこころを知らずに一生を送るしかなくなってしまうでしょう。記録するのとしないのとでは、それほど大きな差があるのです。神様はヨハネに、あなたの見たこと、今あること、この後に起こることを書き記せと仰せられました（黙１・19）。

もちろん聖書を書いた人々とは次元が違いますが、それでも、神様との交わりを書き留めることには意味があります。神様のみことばを黙想するとき、色鉛筆でアンダーラインをつけながら精読すると、より印象深く、みおしえと悟りを得ることができます。そしてそれを黙想しながら記録していくと、確かによくまとまるだけでなく、霊的に非常に祝福され、それがまたすばらしい財産として残るのです。

私たちが毎日、みことばの中で神様の御声を聞き、従い、家庭教師であられる聖霊の導きによって生きた記録は、ある意味で、使徒たちが聖霊の導きによって生きたことを記録した「使徒の働き」によく似ています。これは後で尊い祝福の遺産として残り、末ながく多くの人々に恵みの雨を降らせるものになるでしょう。私は、今も自分の母親のディボーションノートを読みながら涙する友人をよく知っています。また、これは後で自分が読んでみても大きな恵みにあずかるものです。

ある人が、毎日日記を書いていたそうです。しかしあるとき、このディボーションの訓練を受け、ディボーションをノートに記録しました。それから以前書いた日記を見たらあまりにも幼稚で、恥ずかしくなるほど自己中心的だったので、全部焼いてしまったという話を聞いたことがあります。書くことは大事です。また、書くことは不思議にも何倍もの恵みを与えてくれるのです。恵みの近道なのです。このディボーションノートの記録には、次のような４種類の形があります。

サンプル１

タイトル　　愛され、愛すること

聖書箇所　ヨハネ 13：31〜35　　　　月　　日

内容観察（全体のまとめ）

イエス様はユダが出て行った後、ご自分が栄光を受ける時が来たことを語り、弟子たちに新しい戒めとして、互いに愛し合うように勧めています。

最初に教えられたこと（インスピレーショナル）

（命令）34 節：イエス様は新しい戒めとして、互いに愛し合うことを命じられました。イエス様は先に私を愛してくださいました。また、私自身もすでに、周りの兄弟姉妹からの愛をたくさん受けています。私が兄弟姉妹の愛を受けているように、私も周りにいる誰かを愛し、その愛を伝えることが命じられています。

適用（生活の中にどう実践するか）

今私は病気にかかり、入院生活を送っていますが、その間、教会の先生、兄弟姉妹が祈ってくださり、メールで励ましてくれたり、病院にも来て祈ってくれたりして、神様と兄弟姉妹の愛に囲まれていることを感じています。

教会の姉妹が、やはり病のために遠くの病院に入院していて、私も彼女のために祈っていましたが、自分が入院して初めて、祈りが足りなかったこと、彼女の孤独を理解できてなかったことを悟りました。「私が祈られている分だけ、私も彼女のために祈ろう。私が愛を感じている分だけ、彼女も愛を感じることができるように愛を示そう」と教えられたので、昼夜祈り、毎日、励ましの言葉をメールで送ります。

今日の優先順位

入院している姉妹に励ましのメールを送る。

夕べの感謝

姉妹にメールを送ったら、すぐに返信が来て、今まさに祈りと励ましが必要だったということが分かった。神様が教えてくださり、私を用いてくださったことに感謝します。

サンプル2

タイトル　愛され、愛すること

聖書箇所　ヨハネ13：31〜35　　月　日

内容観察（全体のまとめ）

イエス様はユダが出て行った後、ご自分が栄光を受ける時が来たことを語り、弟子たちに新しい戒めとして、互いに愛し合うように勧めています。

静聴（神様はどのようなお方か、罪、約束、慰め、警告、命令、模範）

（御父・御子）34節：弟子たち、私たちを先に愛してくださったお方です。イエス様は先に弟子たちに愛を示されました。彼らのために祈り、足を洗い、彼らの弱さに寄り添ってくださったお方です。

（命令）34,35節：イエス様が愛されたように、互いに愛し合いなさいと命じられています。そのとき、イエス様の弟子であることが証しされるのです。

（模範）34節：人よりも先に、愛することです。イエスはまず、弟子たちを愛されたことによって、互いに愛し合うための模範を示してくださいました。

適用（生活の中にどう実践するか）

今私は病気にかかり、入院生活を送っていますが、その間、教会の先生、兄弟姉妹が祈ってくださり、メールで励ましてくれたり、病院にも来て祈ってくれたりして、神様と兄弟姉妹の愛に囲まれていることを感じています。

教会の姉妹が、やはり病のために遠くの病院に入院していて、私も彼女のために祈っていましたが、自分が入院して初めて、祈りが足りなかったこと、彼女の孤独を理解できてなかったことを悟りました。彼女のために昼夜祈り、毎日、励ましの言葉をメールで送ります。

今日の優先順位

入院している姉妹に励ましのメールを送る。

夕べの感謝

姉妹にメールを送ったら、すぐに返信が来て、今まさに祈りと励ましが必要だったということが分かった。神様が教えてくださり、私を用いてくださったことに感謝します。

サンプル３

タイトル　　愛され、愛すること

聖書箇所　ヨハネ 13：31～35　　　　　月　　日

内容観察（全体のまとめ）

イエス様はユダが出て行った後、ご自分が栄光を受ける時が来たことを語り、弟子たちに新しい戒めとして、互いに愛し合うように勧めています。

最初に示されたこと

（命令）34 節：イエス様は新しい戒めとして、互いに愛し合うことを命じられました。私が兄弟姉妹の愛を受けているように、私も周りにいる誰かを愛し、その愛を伝えることが命じられています。

生活への適用

今私は病気にかかり、入院生活を送っていますが、その間、教会の先生、兄弟姉妹が祈ってくださり、神様と兄弟姉妹の愛を感じています。

病のために遠くの病院に入院している姉妹のために、私も祈り、毎日、励ましの言葉をメールで送ります。

静聴（神はどのようなお方か、罪、約束、慰め、警告、命令、模範）

（御子）32 節：十字架のみわざを通して、神様から栄光をお受けになったお方。

（模範）34 節：イエスはまず、弟子たちを愛されたことによって、互いに愛し合うための模範を示してくださいました。

生活への適用

姉妹も大変な中にあり、自分もまた入院中ですが、イエス様が模範を見せてくださったように、私の方から積極的に愛を伝えていくことが大切だと思わされました。返事が来ても来なくても、メールを送り続けます。

今日の優先順位

入院している姉妹に励ましのメールを送る。

夕べの感謝

姉妹にメールを送ったら、すぐに返信が来て、今まさに祈りと励ましが必要だったということが分かった。神様が教えてくださり、私を用いてくださったことに感謝します。

サンプル４

タイトル　　愛され、愛すること

聖書箇所　ヨハネ 13：31～35　　　月　　日

内容観察（全体のまとめ）

イエス様はユダが出て行った後、ご自分が栄光を受ける時が来たことを語り、弟子たちに新しい戒めとして、互いに愛し合うように勧めています。

静聴（最初に示されたこと）

（命令）34 節：イエス様は新しい戒めとして、互いに愛し合うことを命じられました。私が兄弟姉妹の愛を受けているように、私も周りにいる誰かを愛し、その愛を伝えることが命じられています。

静聴（神はどのようなお方か、罪、約束、慰め、警告、命令、模範）

（御子）32 節：十字架のみわざを通して、神様から栄光をお受けになったお方。

（模範）34 節：イエスはまず、弟子たちを愛されたことによって、互いに愛し合うための模範を示してくださいました。

適用（生活の中にどう実践するか）

今私は病気にかかり、入院生活を送っていますが、その間、教会の先生、兄弟姉妹が祈ってくださり、メールで励ましてくれたり、病院にも来て祈ってくれたりして、神様と兄弟姉妹の愛に囲まれていることを感じています。

病のために遠くの病院に入院している姉妹のために、私も祈っていましたが、自分が入院して初めて、彼女の孤独を理解できました。彼女のために昼夜祈り、毎日、励ましの言葉をメールで送ります。

今日の優先順位

入院している姉妹に励ましのメールを送る。

夕べの感謝

姉妹にメールを送ったら、すぐに返信が来て、今まさに祈りと励ましが必要だったということが分かった。神様が教えてくださり、私を用いてくださったことに感謝します。

ここに載せたサンプルは、今まで説明したディボーションの一部、あるいは全部を入れた形です。ディボーションにかかる時間などに応じて、臨機応変に書き方を変えてください。

サンプル1は、インスピレーションのみのディボーションとなります。これをリーディング・ディボーションと呼ぶこともできます。特に初心者がはじめてディボーションをするような場合は、この形が向いているかもしれません。福音書を1日1章程度読みながら、最初に神様に示されたところ（インスピレーション）に色鉛筆などでしるしをつけ、そこから悟った1つか2つの内容を中心にして意味と適用を思い巡らし、黙想する方法です。

また、聖書をたくさん読むためには、週の半分をこのリーディング・ディボーションにし、半分を2ライトディボーションにしてもよいでしょう。

サンプル2は、イルミネーションのみのディボーションです。最初に神様からの示しがあまりなかった場合には、インスピレーションをとばして、すぐにイルミネーションに入るとよいでしょう。

サンプル3と4は、適用を入れる場所が異なります。サンプル3は、悟ったみことばからすぐに適用が導き出されるような場合、インスピレーションの静聴を行った後、すぐにそのまま適用を記します。その次にイルミネーションの静聴をして、その適用を記します。

サンプル4は、すぐに適用が導き出されない場合、インスピレーションとイルミネーションの静聴を続けて行います。その後で、じっくりどのように適用すべきかを神様に聴きながら黙想します。ディボーションの流れの中で、やりやすい方法で行うとよいでしょう。

３　適用（「ディボーションは祈りである」を参照）

適用は、過去に聖書で起きたその事件と真理が、現在自分の生活においてどんな意味をもっているかを具体的に、その日のみことばの中で探す訓練の過程です。ディボーションの中で、神様が与えてくださった教訓が、実際の生活のどの部分に与えられたのかを探ることです。

私たちに与えられた教訓は、ただ知識のために与えられたのではありません。特に神の聖霊の感動を通して私たちに悟りを与えられたとすれば、神様は私の人生のどこかの部分に、実際に語っておられるに違いありません。それを知るためには、もう一度祈る必要があります。神様が自分の人生において、適用すべきところを示してくださるように祈るのです。ですから、この適用の部分はだいたい２つの祈りによって成り立っています。

1　生活への適用の祈り

自分の生活の中で、今日与えられたみことばを適用するところを具体的に示してくださいと祈ることです。

ディボーションのモデルとも思われるルカの福音書24章13～35節を考えましょう。十字架の事件の後に、2人の弟子がエマオというところを悲しみつつ歩いていました。初め彼らは、キリストの十字架の死の意味を知ることができませんでした。また、復活の事実も信じられませんでした。しかし、主がそこに現れて、キリストが多くの苦難を受けてからご自身の栄光の復活に入らなければならないその事実（26～27節）をみことばを通して解き明かしてくださると、彼らの心は燃え始めました（32節）。それは確かに聖霊の教えでした。聖霊の働きによって、心の扉が開かれたのです。

しかし、彼らはすべてを理解したわけではありませんでした。生活の中で、行いによって適用しなければならない段階が残っていました。彼らは目が閉ざされていて、生活の中のどこに、どういう風に、適用したらよいのかわかりませんでした。

彼らがイエス様とともに、もう一度感謝の祈りをささげた後、夕食のパンを裂いて、もっと深い交わりに入った瞬間、彼らの目が開かれました。そして、その方が復活されたイエス・キリストご自身であることがわかりました（31節）。それから彼らは、自分たちが何をすべきか、キリストの苦難と復活を悟り、どうしなければならないか（適用）がわかったのです（33節）。それは、彼らがただちに復活の証人となることでした。そこで彼らはその夜、すぐにエルサレムに戻り、イエス・キリストの復活を証ししました（33～35節）。これが、生活への実際的な適用なのです。

多くの人々が個人の生活の中で、実際に適用するのがとても難しいと話しています。その理由は簡単です。それは彼らがもう一歩、主との交わりを深めなかったからです。エマオに向かっていた2人の弟子たちは、主が熱い感動を通して悟りを与え、立ち去ろうとなさったとき、強く主を引き止め、その夜、ともにいてくださいとお願いしました（28～29節）。そして、主は彼らのところに入り、彼らの目を開き、復活の主、栄光の主を直接見ることができるようにしてくださったのです。

「神のみことば」という単語は、ギリシャ語では2種類あります。ひとつはロゴス（Λόγος）という単語で、これは客観的な真理としての神様のみことばを表すとき使う言葉です。もうひとつはレーマ（ῥῆμα）ですが、これはある特別な状況で、聖霊様が個人的に適用してくださる主観的な神のみことばの場合使う単語です。※16

私たちがディボーションするとき、神様は聖霊の感動を与えてくださり、みことばを悟らせてくださいます。そして、このみことばは、必ず自分の生活の中で適用するために与えられたのです。みことばが与えられたということは、神様が生活の中でそれを適用し、実践するように願う分野があるということです。ですから、それを信じて、もう一歩主との深い交わりを通して、主が目を開いてくださるように願うことです。「聖霊のご臨在を通して私の目を開いてください。そして私の生活の中で主がどこでこのことを行うように願っておられるのですか」とひざまずき、示しを求める必要があります。そうすれば知恵の神様が必ず惜しまずにそのことを示してくださいます（ヤコ1・5～8）。

しかし、この適用にはいくつかの原則があります。ある人々はこの原則を3P2Cとも呼びます。英語の頭文字を使って、最初のPが3つ、Cが2つということです。

●３Ｐ２Ｃの原則

・Personal……適用は必ず個人的にされなければなりません。

つまり、他の人に適用しようとしないで、自分自身に適用しなければならないということです。夫婦生活に関するエペソ人への手紙５章22～33節は興味深い例になると思います。もし妻がこれを読んで、このみことばの中で自分に適用しないで、「夫たちよ。……あなたがたも妻を愛しなさい」というみことばだけをもって、自分の夫にこれを適用しようとしたら何の益があるでしょうか。その反対に夫がこの箇所を読んだとしましょう。そして、「妻たちよ。主に従うように、自分の夫に従いなさい」というみことばを妻に適用したとしたら、その家庭に何の幸せがあるでしょう。そうではなく、お互いに自分に適用して、妻は夫に従うこと決心し、夫は自分のいのちのように妻を愛することを決心し、それを実践することによって、この神のみことばが成し遂げられるのではないでしょうか。

イエス様はマタイの福音書４章１～11節で、みことばを誰に適用したのでしょうか。サタンがイエス・キリストを誘惑したとき、イエス様は、「人はパンだけで生きるのではなく、神の口から出る一つ一つのことばで生きる」とおっしゃいました。また「あなたの神である主を試みてはならない」とおっしゃいました。しかし、ここでイエス様は、このみことばを誰に適用したと思いますか。サタンでしょうか。いいえ、イエス様はこのことばをご自身に適用したと見るのが正しいと思います。サタンがこのみことばに従うはずがないし、また、サタンが神様の口から出る一つ一つのみことばによって生きるとは思えません。イエス様はこのみことばをご自身に適用されたのです。[※17]

そうです。適用は可能な限り、まず自分に個人的にしなければなりません。もちろん例外もあるでしょう。また団体と国家、社会などに適用する場合もありますが、人間は貪欲と自己中心な者ですから、他の人に適用（他の人のせいに）しようとしがちです。ですから、まず自分に適用することを優先にしなければなりません。

・Practical……適用は、実際的、また具体的でなければなりません。

例えばある人が、「いつも喜んでいなさい」（Ⅰテサ5・16）というみことばを黙想してとても恵まれたとしましょう。そして適用をしました。「あぁ、私も今日は一日中喜びます。主よ、助けてください」と祈ったとしましょう。これはとても漠然とした適用です。しかし、「主よ。今日、会社で会う人々に、私は笑顔で挨拶をします。そして今日は一日中、肯定的な話だけをします。また、いつも私に不平不満を言っている〇〇君をランチに誘います。そして、もっと楽しくなるように良い関係を築き上げます」と聖霊の導きによって適用したとしましょう。これはとても具体的な適用だと言えます。

・Possible……適用は、可能なことから適用しましょう。

つまり、時間的に現在必要なことから適用していきなさい、ということです。例えば、神様がマタイの福音書28章19～20節のみことばを通して、「すべての人々を弟子としなさい」と語られたとしましょう。すぐ宣教師になろうとして、宣教団体の事務室に行って、これから宣教師になりますと志願書を出す必要はありません。もっと具体的に祈りながら、神様の導きを求める必要があるでしょう。しかし、今日適用できることもあります。例えば、宣教の状況に対して、資料を集めることとか、また、知っている宣教師たちのために祈り始めるとか、わずかであっても、宣教献金を送ることもできるでしょう。可能なことから適用していくことです。

・Continuous application……適用は段階的、継続的にすることです。

つまり、神様の導きが、もっと具体的に示されるように祈ることです。神様のほとんどの啓示が漸進的に与えられたのと同じように、神様の導きも少しずつはっきり見えてくる場合が多いのです。ですから神様のみこころのベールが少しずつ開かれるにつれて、私たちの適用ももっと具体的、実際的になっていく必要があります。

ですから、明確になっていない、もっと具体的にならなければならない神様のみことばやみこころに対しては、続いて祈りながら適用していくことです。先ほどの例でしたら、宣教師になる導きをいただいたのならば、引き続きディボーションの中で、宣教師になる準備をもっと具体的にしていくことになるでしょう。一度、宣教地を訪問することも可能でしょう。そして、ついに時が満ちて志願することになるでしょう。神様は一度にすべてをやりなさい、というお方ではないのです。必ず段階を踏んで示してくださり、また環境的にも適用できるように導いてくださるお方です。

・Common application……適用は、あまり飛躍してはいけません。

例えば、大学の入学試験を準備している学生がいました。どの大学に願書を出せばよいか、迷っていました。ある朝のディボーションで、「狭い門から入りなさい。滅びに至る門は大きく、その道は広く、そこから入って行く者が多いのです」（マタ７・13）というみことばを読みました。そして、狭い門から入るのがみこころだと思い込んで、競争が激しい一流大学に願書を出したとしましょう。それは、まさにドン・キホーテスタイルの適用ではないでしょうか。こういう失敗をする場合が比較的多いのです。それはほとんどの場合、神様のみことばに対する基本的な解釈の方法があまりに幼稚で、聖書のみことばを毎日の占いのように考えている人々の中に多いのです。聖書のみことばをぱっと聞いて、その日の運命を占う、そのようなものとして聖書を考える人々は、このような失敗を繰り返します。聖書のみことばは、その日の運命を占うための呪文では決してありません。神様は人格的なお方です。決して私たちと非常識なコミュニケーションをとろうとするお方ではありません。彼は私たちの父なるお方で、非常に人格的な交わりと対話を通して私たちを導いてくださるお方なのです。

2　応答（レスポンス）の祈り

神様に返事の祈りをささげましょう。

「多くの場合、私たちは、私たちの祈りが聞かれるかどうか、ということに大きな関心を持っています。祈りの答えがなければ徹夜祈祷をしたり、断食をしたり、泣いたり、神様をうらんだりすることもあります。しかしその反対に、神様が私たちに対して、お願いし、また命令されたことに対しては、私たちは答えないで沈黙を守ろうとします」（ユン・チョンハ『黙想の時間』韓国聖書同盟［.43）

ディボーションの中で、神様からお願いとか命令、約束、忠告、また祝福をいただいたら、それに対して今度は私たちがどうするかを神様に答えなければなりません。つまり、神様が私たちの祈りに答えるのではなくて、今度は私たちが神様に答える番なのです。無口な人のように沈黙していてはいけません。悟った命令や警告に対して「従います」または「注意します」という告白を、神様は待っておられるからです。

(1)感謝と賛美の祈り

まず、神様の祝福、約束、慰め、などに対しては感謝と賛美の祈りをささげ、答えるべきです。

サムエル記第二7章18〜29節には、神様のみことばに対するダビデ王の答えの祈りが書いてあります。預言者ナタンを通して神様はダビデに彼とその家系に対する約束を告げられました（7・1〜17）。その神様のみことばに対して、ダビデはこう答えの祈りをささげました。

「神、主よ、私は何者でしょうか。私の家はいったい何なのでしょうか。あなたが私をここまで導いてくださったとは。神、主よ。このことがなお、あなたの御目には小さなことでしたのに、あなたはこのしもべの家にも、はるか先のことまで告げてくださいました。神、主よ、これが人に対するみおしえなのでしょうか。ダビデはこの上、何を加えて、あなたに申し上げることができるでしょうか。神である主よ、あなたはこのしもべをよくご存じです。……今、どうか、あなたのしもべの家を祝福して、御前にとこしえに続くようにしてください。神である主よ、あなたがお語りになったからです。あなたの祝福によって、あなたのしもべの家がとこしえに祝福されますように」（Ⅱサム7・18～20、29）

(2)悔い改めの祈り

戒めと警告に対しては、具体的に悔い改めの祈りをささげましょう。

詩篇はほとんど、神様のみことばに対する応答の祈りです。例えば詩篇51篇は、ダビデがウリヤの妻バテ・シェバと不倫関係になり、それを隠すためにウリヤを最前線に送って戦死させたことについて、神様の厳しい戒めを聞き、それに対する応答として悔い改めの祈りをささげたものです。

「神よ私をあわれんでください。あなたの恵みにしたがって。私の背きをぬぐい去ってください。あなたの豊かなあわれみによって。私の咎を私からすっかり洗い去り私の罪から私をきよめてください。……ヒソプで私の罪を除いてください。そうすれば私はきよくなります。私を洗ってください。そうすれば私は雪よりも白くなります。……神よ私にきよい心を造り揺るがない霊を私のうちに新しくしてください。私をあなたの御前から投げ捨てずあなたの聖なる御霊を私から取り去らないでください」（詩51・1〜2、7、10〜11）

(3)対話式の祈り

みこころがはっきりわからないときは、もう一度聞いてみましょう。

創世記18章にある、アブラハムの祈りを見てみましょう。神様がソドムとゴモラの罪がどれほどであるのかを調べに行くとおっしゃったとき、アブラハムは神のみこころを知るために、神様と対話をしました。

神　　様　わたしは下って行って、わたしに届いた叫びどおり、彼らが滅ぼし尽くされるべきかどうかを、見て確かめたい。（21節）

アブラハム　あなたは本当に、正しい者を悪い者とともに滅ぼし尽くされるのですか。もしかすると、その町の中に正しい者が五十人いるかもしれません。（23〜24節）

神　　様　もしソドムで、わたしが正しい者を五十人、町の中に見つけたら、その人たちのゆえにその町のすべてを赦そう。（26節）

アブラハム　私はちりや灰にすぎませんが、あえて、わが主に申し上げます。もしかすると、五十人の正しい者に五人不足しているかもしれません。その五人のために、あなたは町のすべてを滅ぼされるのでしょうか。（27〜28節）

神　様　いや、滅ぼしはしない。もし、そこに四十五人を見つけたら。（28節）
アブラハム　もしかすると、そこに見つかるのは四十人かもしれません。（29節）
神　様　そうはしない。その四十人のゆえに。（29節）
アブラハム　どうかお怒りにならないで、もう一度だけ私に言わせてください。もしかすると、そこに見つかるのは十人かもしれません。（32節）
神　様　滅ぼしはしない。その十人のゆえに。（32節）

こういう祈りの姿は、使徒の働き10章でも見ることができます。ある日の正午、ペテロは屋上に上がり、そこで祈りながら黙想していました。そのとき、異邦人を象徴する、律法で食べることを禁じられている汚れた獣たちが現れました。そして主の御声が聞こえました。

神　様　ペテロよ、立ち上がり、屠って食べなさい。（13節）

ペテロ　主よ、そんなことはできません。私はまだ一度も、きよくない物や汚れた物を食べたことがありません。（14節）

神　様　神がきよめた物を、あなたがきよくないと言ってはならない。（15節）

こういうことが3回あって後、コルネリウスが送った人たちがペテロの家の玄関に着き、ペテロを捜しました。ペテロはまだ幻について黙想していました。

聖霊様　見なさい。三人の人があなたを訪ねて来ています。さあ、下に降りて行き、ためらわずに彼らと一緒に行きなさい。わたしが彼らを遣わしたのです。（19～20節）

ペテロ　あなたがたが探しているのは、この私です。どんなご用でおいでになったのですか。（21節）

ペテロは今まで偏見をもって、異邦人たちを汚れた獣たちのように見ていましたが、この後、彼らと交わりをもち、これによって異邦人たちに福音を伝えることがみこころだと悟り、世界宣教の門が開かれました。

このように、はっきりわからない部分を具体的に神様に聞きながら、神様と対話をすることは大事なことです。

(4) 従順の祈り

最後に、神様の御声に対して、私たちは従順の祈りをささげる必要があります。つまり、積極的、肯定的に応答しなければなりません。

主が「立ってあなたの床を取り上げて帰りなさい」とおっしゃっているにもかかわらず、私は座っていて、「主よ、私が立つことができるようにしてください」とか「主よ、私を立たせてください」と祈っているとしたらどうでしょう。このときは立って歩かなければなりません。「はい、主よ。立って、歩いて帰ります」と答える祈りにならなければなりません。

ヤコブの手紙2章14～26節には、「信仰も行いを欠いては死んでいるのです」と語られています。「孤児とやもめを助けなさい」という御声を聞いたとしましょう。そしてもし「主よ、孤児たちを助けてください」という応答の祈りをしたとしたら、神様が私にそれを命令したのに、かえって私が神様に命令をし返すことになります。このときは「はい、主よ。わかりました。まず、近くの育児園に電話をします。そして何が必要かを今日調べてみます。すべて順調に導いてくださいますように」と応答の祈りをすべきでしょう。

マタイの福音書14章13～21節を見ると、弟子たちがベツサイダの荒野で、群衆を心配してイエス様に話しました。「ここは人里離れたところですし、時刻ももう遅くなっています。村に行って自分たちで食べ物を買うことができるように、群衆を解散させてください」。イエス様はどのようにお答えになったのでしょうか。「彼らが行く必要はありません。あなたがたがあの人たちに食べる物をあげなさい」とおっしゃいました。そして、この主のみことばに従って、アンデレが麦のパン5つと2匹の魚を持ってきたとき、すべての人々が満ち足りるという奇跡が起こったのです。神様に答える祈りは、積極的で、肯定的で、また単純な従順の祈りでなければなりません。そのとき聖霊様が奇跡をともなって働いてくださるのです。

３　賛美せよ！（Adoration）

聖霊に満たされて神様をほめたたえなさい。賛美しなさい。

詩篇22篇３節には「けれども　あなたは聖なる方　御座に着いておられる方　イスラエルの賛美です」と記されています。ディボーションでいただいた恵みと祝福を感謝して、神様に満ちあふれる賛美を返すことです。それは、私たちの魂が感激と喜びに満たされる、絶頂の時となるでしょう。

4 実践（「ディボーションは神への従順である」を参照）

神様の啓示（みことば）は、私たちの知識のために与えられたものではなく、私たちの人生と生活のために与えられたものです。ですから、従順と実践を通して段々成長していかなければなりません。でなければ、聞いたみことばを行わないことになり、聞くだけで自分を欺いている（ヤコ1・22）とおっしゃったイエス様のみことばのようになって、かえって神様のみこころに不従順になってしまいます。イエス様は、このことに対して重大な警告をされています。

「ですから、わたしのこれらのことばを聞いて、それを行う者はみな、岩の上に自分の家を建てた賢い人にたとえることができます。雨が降って洪水が押し寄せ、風が吹いてその家を襲っても、家は倒れませんでした。岩の上に土台が据えられていたからです。また、わたしのこれらのことばを聞いて、それを行わない者はみな、砂の上に自分の家を建てた愚かな人にたとえることができます。雨が降って洪水が押し寄せ、風が吹いてその家に打ちつけると、倒れてしまいました。しかもその倒れ方はひどいものでした」（マタ7・24～27）

ここには3つのことが強調されています。

①「だから」ということばです。この聖句は、主が教えてくださったすべての教訓の結論であることを意味します。マタイの福音書5章3節のメッセージから始めて、特に7章の永遠のいのちの道や、にせ預言者たちなどに関しての教訓のすべての結論だということです。

②「わたしのことばを聞いて」ということばが2回も出てきます。主のみことばを聞いた人に対する教えです。このみことばのすぐ前にはにせ預言者について語られていますが、誰がにせ預言者でしょうか。主のみことばを聞いて行わなかっ

た人たちではないでしょうか。

③「行う人」または、「行わない人」ということばを通して、実践が強調されています。聞いて行ったか、行わなかったかが関心事なのです。それによってにせ預言者であったか、まことの預言者であったか、にせ信徒であったか、まことの信徒であったかが決まるわけです。知恵ある賢い人生の建築家であるか、愚かな無駄な人生の建築家であるかが決まります。結論はみことばを聞いて行わないとしたら、すべての労苦が無駄になってしまうということです。しかし、聞いたみことばを実践するなら、神の御国のすばらしい報いにあずかることになります。つまり神様の御国を相続する者になります。その労苦に対しては限りない永遠の報いが与えられます。神様はダニエルにこうおっしゃいました。

「ちりの大地の中に眠っている者のうち、多くの者が目を覚ます。ある者は永遠のいのちに、ある者は恥辱と、永遠の嫌悪に。賢明な者たちは大空の輝きのように輝き、多くの者を義に導いた者は、世々限りなく、星のようになる。ダニエルよ。あなたは終わりの時まで、このことばを秘めておき、この書を封じておけ。多くの者は知識を増そうと捜し回る」（ダニ12・2〜4）

知識を得ようとして探り回る終末の時代はいつでしょうか。今日のように情報を探し回っている時代が今まであったでしょうか。

今は終末ではないでしょうか。神のみことばを聞いて、それを行って、永遠に大空の星のように輝く神の御国の相続者、賢いわが家の建築家になりましょう。みことばを聞いて行わないにせ預言者、またはにせ信徒にならないように、みことばを聞いて行う知恵ある人々になりましょう。

そこで、この実践に関して私たちは、ディボーションが終わってから今日実践すべきことを具体的に記録することにします。次に、今日の優先順位を記録します。それから、出て行って行うのです。

5　恵みの分かち合い

（「ディボーションは恵みの年を宣言することである」を参照）

マルコの福音書５章19～20節を見ると、私たちはそこで興味深いひとつの場面に出会います。レギオンという兵隊の悪霊、軍隊の悪霊に取りつかれて墓の中で暮らしていた人です。鎖につないでおくことができないほど乱暴な人から、イエス様は悪霊を追い出しました。正気を取り戻した彼は、神とそのいやしてくださった救い主イエス様に心から感謝し、これから自分はどこまでもイエス様について行ってお仕えしようと決心しました。そして、私を連れて行ってくださいとお願いしました。しかし、イエス様はお許しにならないで、「あなたの家、あなたの家族のところに帰りなさい。そして、主があなたに、どんなに大きなことをしてくださったか、どんなにあわれんでくださったかを知らせなさい」とおっしゃいました。

「いただいた恵みを分かち合いなさい。これがもっと大事なことです」ということです。メシアが来られたとき、恵みの年を告げ知らせました。

「主の霊がわたしの上にある。
貧しい人に良い知らせを伝えるため、
主はわたしに油を注ぎ、わたしを遣わされた。
捕られわれ人には解放を、
目の見えない人には目の開かれることを告げ、
虐げられている人を自由の身とし、
主の恵みの年を告げるために」
（ルカ４・18～19）

悪霊に取りつかれ、縛られていた人を自由にさせたイエス様は「この恵みの年を、あなたは帰って家族や隣人たちに宣べ伝え、イエスの御名によって彼らを自由にしなさい。これは私とともに歩くことよりももっと大事なことだ」とおっしゃったのです。マタイの福音書10章7節で、十二弟子を送りながら「『天の御国が近づいた』と宣べ伝えなさい」とおっしゃいましたが、これは「恵みの年を宣言しなさい。神の御国を相続する時が近づいたと宣言しなさい」という教えです。そして、そのように宣べ伝えながら、病人をいやし、悪霊につかれた人々から悪霊を追い出しなさい、とおっしゃいました（10・8）。

これはいただいた恵みの年の祝福をあなただけが持っているのではなく、それを宣べ伝え、分かち合い、また多くの悪霊に縛られ、のろい、運命、病気、罪に束縛されている人たちに自由を与え、神の子どもとしての恵みの年を宣言してあげなさい、ということです。すでにイエス・キリストによって宣言されたその恵みのときを、再びあなたがたが一人一人に宣言して、すべての人を罪から、またいろいろな縛りから、抑圧された奴隷の状態から自由にさせなさい、ということです。

これを「ヨベルの年の祭」（Celebration of jubilee）とも言います。

静思のときのクライマックスは、この恵みの福音の宣言とそのお祭りなのです。

これは分かち合うことを意味します。いっしょに喜び、祝うことを意味します。祝福し、自由を宣言し、そして実際に自由を与えて喜ぶ祭りなのです。

1　受けた恵みの証しの仕方

ではどのように、この恵みの年を宣言できるでしょうか。今まで説明してきたように、いただいた恵みの分かち合いを通して、私たちは隣の人々や親族、家族などにこの恵みの福音を宣言し、宣べ伝えることができるのです。それでは、いただいたその恵みを分かち合うときの注意事項をいくつか申し上げます。

(1)恵みを分かち合うためのアドバイス

・自然に、そして真剣に分かち合うことです。

つまり自然な態度、真実な態度でなければなりません。うそや誇張があったり、過度の緊張は望ましくないのです。主が私をどんなにあわれんでくださったか、私にどんなに大きなことをしてくださったかを自分が見た通り、聞いた通り、そして信じている通りに話すことが分かち合いなのです。

・確信を持って分かち合うことです。

不確実な態度、疑い深い表現は謙遜ではありません。それはいただいた恵みを不信仰に陥れるものに過ぎません。みことばの上にしっかり立ちなさい。それは変わることのない、揺るぐことのない神の約束だからです。

・私個人に与えられたみことばとして証しすることです。

分かち合いは他人に説教をすることではありません。講義でもありません。主が私に行ってくださった大きなみわざと恵みを、あるがまま、真実に分かち合うことです。

・神様の御名を賛美し、喜ぶことです。

神様の恵みをたびたびいただいて、それを分かち合っているうちに、自分も知らないうちに「自分はちょっと特別な人だ」「主から特別に愛されている」という霊的なごう慢さが芽生えてくる可能性があります。サタンはこういうときを待ち伏せていて、その人から恵みを奪ってしまうのです。神様は謙遜な者にのみ、恵みをお与えになります。ですから、恐れ、気をつけて、ただ主だけがほめたたえられるようにしましょう。自分は罪人のかしらであり、当然するべきことをしたにすぎないと告白することです。

・聞く人も心を謙遜にして聞くことです。

そこで分かち合われているのは、聖霊の神が兄弟姉妹に与えたみことばです。ですから、その兄弟姉妹を見るのではなく、私たちの主を尊敬する気持ちで、耳を傾けるのです。分かち合いの方法をよく知らず、まだ上手にできない人もいます。また、口べたの人は、自分がいただいた恵みをスムーズに話すことができないこともあります。しかし、与えられた恵みを十分に分かち合うことができるように、私たちは謙遜な心を持って、兄弟姉妹の分かち合いを聞くことが大切です。

ベッサイダの荒野で５つのパンと２匹の魚を通して、主がそれを分け与えられたとき、これは５０００倍に増えました。そして残りは12かごでした。分かち合えば分かち合うほど恵みは増え続けます。悲しみは分かち合えば分かち合うほど少なくなります。

「互いの重荷を負い合いなさい。そうすれば、キリストの律法を成就することになります」（ガラ６・２）

互いの喜びを共有し、互いの苦しみを負い合うこと、これがキリスト者の交わりの秘訣なのです。

(2)グループで分かち合うためのアドバイス

では、グループで分かち合いをするとき覚えておかなければならないことについて申し上げます。時間が制限されていますから、何人かの人が集まって分かち合いをするときは、いろいろな面で気をつけなければなりません。ディボーションノートをそのまま上から下まで読むと、一人で30分もかかってしまうかもしれません。制限された時間の中で効果的に証しをするためには、次の3つにまとめてするとよいでしょう。

・そのときの私の霊的な状態、または問題などは何だったか。
・神様は私のこのような状態に対してどう語ってくださったか。
・私はどのように従ったか。

この3つのポイントを取り上げて、短く証しをすることです。

〈実例〉
先週私は、とても失望していました。それは、私が数年間も愛して、毎朝のように彼らのために、彼らの子どもたちのためにも名前をあげて祈ってきた友人が、私のことをひどく中傷して、非難してきたからです。私はとても失望しました。裏切られたという失望感だったと思います。

次の朝私は、習慣にしたがってディボーションをしました。その箇所は、ヨハネの福音書２章23～25節でした。短い３節だけのところでしたが、私はただ習慣にしたがって読みました。

「過越の祭りの祝いの間、イエスがエルサレムにおられたとき、多くの人々がイエスの行われたしるしを見て、その名を信じた。しかし、イエスご自身は、彼らに自分をお任せにならなかった。すべての人を知っていたので、人についてだれの証言も必要とされなかったからである。イエスは、人のうちに何があるかを知っておられたのである」（ヨハ２・23～25）

このみことばを読んで黙想しているうちに、私は、はっと気がつきました。イエスはすばらしいしるしを行って、多くの人々が信じました。中には自分の家に来て身を寄せるように、自分たちがすべてをしますからと言ってくれる人もいました。しかしイエス様は「彼らにご自分をお任せにならなかった」と書いてあります。それは、人はもともとどういうものであるかということをよくご存じであられたからであると書いてあります。

つまり、人は常に変わりやすいということです。その朝私は神の御声を聞きました。主イエスでさえ、ご自身を人々にお任せにならなかったとしたら、私はそんなに失望することはない。人間の心はいつも変わりやすいものだと。私は自分がこんなにしてきたのにと、彼らへの失望感でいっぱいになっていたということがわかりました。主はこのみことばを通して私に「わたしは人々に自分を任せなかった。失望するな」と語ってくださったのです。それで私は「そうだ。イエス様さえそのようにされたのだから、私はこれからは報いを期待をしないでただ与えることだけをしよう。すべてあげるだけで喜ぼう」と決めました。そして、彼らの話に耳を傾け、良い交わりをしました。彼らは心を打ち明けてすべてを語り、仲直りをすることができました。

このように分かち合いをします。そうしたら、その聖書の箇所をみんなで読み、みことばをもう一度明確にします。「しかし、イエスご自身は、彼らに自分をお任せにならなかった。……イエスは、人のうちに何があるかを知っておられたのである」といっしょに声に出して読みます。

2 恵みの宣言

この分かち合いが、同じ状況にある人々にとっても恵みの年になるよう、宣言してあげることです。宣言という意味が大切です。どのようにしたら、彼らがその宣言を通して恵みのときをいただくことができるでしょうか。（参／マタ18・21～35）

(1)祈りを通して宣言をしてあげることができます。

病にある人、迫害の中にある人、束縛されている人々のために、イエスの御名によっていやされ、解放され、また強められるように祈ってあげます。また、そうなるように祝福してあげます。これを通して彼らは、キリストの恵みの年をいただくことになります。ヤコブの手紙5章13～20節には、病人のいやしのことをどう祈るかをよく教えています。

(2)治療とカウンセリングを通して、苦しんでいる人々に恵みの福音の宣言をしてあげることができます。

キリストの御名によって悪霊を追い出します。そして、サタンに縛られている人々にイエスの御名によって自由を宣言してあげます。

(3)恵みの年の真理を確実に教えることによって、心の内側から自由を得させてあげることができます。

キリストの福音、この喜ばしい祝福のグッド・ニュースを知らない人々がどんなに多いことでしょうか。恵みの福音は単純明解に宣べ伝えられるべきです。「あなたがたは真理を知り、真理があなたがたを自由にします」（ヨハ８・32）と語られています。

(4)伝道して未信者たちの魂を救うことによって、人々に神の恵みを宣言してあげることができます。

(5)社会的にこの恵みが実現されるように、社会的奉仕を通して、これが成し遂げられるようにすることができます。

身分の自由、つまり人権問題、差別問題、また貧富の問題、土地の返済、土地改革、自由、平等、平和の運動、福祉、こういった社会運動を通して、クリスチャンはこの地上で、神の恵みが実現されるように奉仕することができます。イスラエルの民が50年ごとに身分的に平等になり、失われた土地が返済され、そしてすべての借金が無償になったように、こういう恵みの年が社会的に人類に実現されていくべきです。これは誰を通してでしょうか。世の光、地の塩であるべきクリスチャンを通してです。クリスチャンは社会から遠ざかって、霊的なことだけをするように召されたのではありません。教会には、復活祭、感謝祭、またいろいろな教会での祭り、喜び祝う行事があります。そのとき、本当に良いプログラムを立てて喜び踊り、神をほめたたえ、キリストにある兄弟姉妹と喜びを宣言し合うことができます。

3　夕べの感謝

その日の終わりに、あなたの霊的な日記を書きましょう。これは、「夕べの感謝」と名づけてもよいでしょう。ディボーションで示されたことを実践した結果、体験した感謝の出来事を振り返ったり、神様のすばらしさを黙想し、感謝をささげましょう。感謝できることを探すだけでなく、うまくいかなかったことにも感謝をささげることができれば最高です。一日を振り返ってみて、あなたの聖霊の行伝のクライマックスとして、霊的な日記（Spiritual diary）を書くことです。

第4章

ディボーションの実践

1　個人ディボーションの必要性

個人ディボーションには、できるだけ時間をじっくりかけるのがよいでしょう。落ち着いて礼拝することから始め、じっくり時間をかけて、祈りながらみことばの黙想をするのならば、私たちは限りない恵みの深みに導かれることになるのです。

「あなたの大滝のとどろきに淵が淵を呼び起こし　あなたの波　あなたの大波はみな私の上を越えて行きました」（詩42・7）

ジョージ・ミュラーの個人ディボーション

キリスト教に少しでも関心を持っている人であるなら、ジョージ・ミュラー

(George Mueller) を知らない人はいないでしょう。１８３０年代、ジョージ・ミュラーは、当時の霊的に無気力な信仰に対して大きな疑問を持ちました。神様を信じる人々は、はっきり目に見える証拠を持たなければならないと彼は考えました。この方を信じて従っていくなら、神様はいつも真実で、求める者に確かに与えてくださる方であることを彼は確信していました。祈っているとき、神様は彼に孤児院を設立する願いと計画を与えてくださいました。彼はイギリスのブリストルというところで、孤児たちのために孤児院を作りました。そして彼らの父となり、１２００人の孤児を育てました。けれども彼は一度も人々に献金を求めたことはありません。

　この祈りの人はいつも神様を仰いで祈り、そのたびに神様は真実に必要を満たしてくださいました。彼は５万回も祈りが答えられたと書きました。彼はまた、聖書の普及運動にも手を伸ばし、ただひざまずくことで、この大きな仕事を成し遂げたのです。彼は『魂の糧 (Food For the Inner Man)』という本の中で、みことばの黙想が自分の人生においてどんなに大きな役割を果たしているかを証ししています。

幸いに主は私にひとつの大切な真理を教えてくださいました。そこからいただいている祝福を私は14年間やり続けております。毎朝私が第一にしている働きは、主にあって私自身の魂を幸せにすることです。これが一番大事だということを、私はこの14年間ではっきりと悟りました。私が一番気を遣うべきことは、私が神様のために何をするか、どれほどたくさん主に仕えるかということではなく、どうしたら私の魂が幸福の状態に至り、どうしたら私の内なる人が強く育てられ、成長するかということです。私たちは、信徒に益を与えようと真理を研究することもあれば、未信者を救おうとすることもあります。苦しんでいる人を慰めようと努めることもあります。またいろいろな方法を通して、この世の中で神様の子どもらしく振る舞い、生活しようと努めるかもしれません。

しかし、もし私が主の内に幸いを得ず、主にあって養われてもおらず、日ごとに内なる人が新しく強められないなら、これらのすべての努力と働きは中身のない、空っぽのものに過ぎません。私は朝起きるとすぐ着替えて、主の前にひざまずき、簡単に祈りをささげます。そしてさっそく神のみことばを開き、そのみことばの黙想を始めます。そしてそれを通して私の心に慰めと勇気と戒めと教訓をいただきます。私は主との実際的な交わりを保つことがどんなに大事かということを悟っております。ですから朝起きると聖書を読み、そして黙想し始めます。そのみことばの中にある主の祝福は何かを簡単に考えてから、すぐそのみことばに対する黙想を始めます。つまり、毎日聖句からどのような祝福があるかを捜します。いろいろな働きのためでもなく、メッセージを準備するためでもありません。ただ私の魂の糧を捜し、その祝福を求めます。その結果はいつも同じです。何分も過ぎないうちに私の魂は告白と感謝、とりなしと願いをささげるようになり、そしてそれは深い祈りに導かれます。

この方法は、以前私がしていた方法と違います。以前は起きてからできるだけ早く祈り始めました。そして、朝ごはんを食べるときまではずっと祈りの時間を過ごしました。特に自分の魂が渇いていると感じるときは、もっと祈りの時間を長くしようと努めました。その結果はどうだったでしょうか。ひざまずいて、15分、30分、1時間が過ぎるまで、私は自らの魂を慰めようと努めます。勇気を与えよう、もっと謙遜になろうという自己意識に陥って祈り続けますが、多くの場合、30分以上私はいろいろな心の雑念に悩まされなければなりませんでした。それからやっと、祈ることができたのです。しかし、今はそういうことはほとんどありません。私の心が神様のみことばを通して、すぐ実際的な交わりに入るからです。そしてその尊いみことばを通して私に神様の祝福、戒め、慰めを与えてくださり、またその御声に答えて神様に祈るからです。どうして、もっと早くこういうことを知らなかったのだろうかと考えるときが多いです。

個人ディボーションの恵み

大塚望

昨年9月、初めて基礎養育コースに入らせていただき、訓練を受けました。数々の恵みをいただきましたが、その中でもディボーションの方法を指導していただいたことは、私にとって大きな恵みでした。

今思えば本当に恥ずかしいのですが、私は長い伝道生活の中で、本当に貧弱なディボーションのもち方をして参りました。毎日祈り、みことばを読むことはある程度はやってきたつもりですが、時折休んだり、ほとんどがただ通読するだけだったためにあるときは義務的に眠さをこらえながら、聖書を読むだけになってしまうと言うような有様でした。

ところが弟子クラスのディボーションを教えていただいてからは、以前とくらべてずっと充実したときが持てるようになったのです。みことばを何種類かの目的を持って読むために、何回か同じ箇所を読んでもマンネリにならず、眠気も起こりません。

聖書の著者であられる聖霊に頼りながら祈りつつ学ぶことは、とても楽しく、充実感があるのです。そして課題が課せられているため、ただ漫然と読むのではなく、考えながら読みますから、よほど体調が悪くない限り眠くなることなどないのです。それは消極的な面で、積極的な面では、いままで気がつかなかったことが教えられ、恵みをさらに深く理解することができるようになったり、自分の足りないことを教えられて、悔い改めたりするようになりました。クリスチャンとして、当然のことかもしれませんが、ディボーションのあるべきところに初めて導かれたように思います。

昨年の9月のある日、卞先生がディボーションの大切さについて語ってくださいました。そのとき先生はご自身の証しを実例にして教えてくださったのです。それは、日本に宣教師として来られた先生が、伝道の困難さを聞いて苦しまれたときの証しでした。絶望的になられた先生が、ディボーションを続けておられたために、みことばによって励まされ、信仰によって立ち上がられた、大変感動的なものでした。その証しの後にこう言われたのです。「みなさんも、ディボーションの中で神様と交わってノートに涙のしみがたくさんつくようになるでしょう。そのノートはどんな書物よりも大切な宝物になるでしょう」と。私はその主旨は理解しましたが「私の場合ノートが涙でぬれることはないだろう」と思いました。私はどんなに悲しいことがあって心で泣いていても、実際に涙を流すことはあまりなかったからです。

それから何日かたったある日のディボーションのときのことです。マタイの福音書9章27～31節のところを学んでいました。二人の盲人がイエス様の後を「あわれんでください」と叫びながらついて行きました。主が家に入られ、盲人らがついて入って来ると、主は彼らに「わたしにそんなことができると信じるのか」と言われました。彼らは「そうです。主よ」と答え、主は彼らをいやされました。この記事を読んだとき「私にそんなことができると信じるのか」という主のみことばが私への問いかけとして心に響いてきました。わたしは主の御声としてこのみことばを聞きました。

しかし私はあの盲人たちのようにすぐに「そうです。主よ」とお答えすることができませんでした。「日本にリバイバルを与えてください」「教会にみわざを」「子どもたちを救ってください」などと祈っていたのですが、「そうです。主よ」と信じてお答えできなかったのです。何という申し訳のない祈りをしてきたかと思うと、不信仰な自分を見せられて、主に悔い改めました。そのとき、冷たい私の目から涙が流れてノートをぬらしました。

そして私は「わたしにできると信じるのか」と言われる主に夢中になって「そうです。主よ」と何度も祈っていました。それからは、どんな状態であっても、主を信じて祈り続けています。

涙が流れたから良いと言うわけではないでしょうが、日々のディボーションを通して主と生き生きした関係に入ることができるなら、こんなすばらしいことはありません。

うれしいことに、それから後もちょっとずつですがノートは増えてきています。先生が言われた通り、ディボーションノートは主とのお交わりの記録として、私の大切な宝物になるでしょう。

2　グループディボーションの必要性

次に、グループで行うディボーションについてご説明したいと思います。

個人でディボーションをするのは、神様と一対一でデートをするようなものですが、グループで行うディボーションには、それとはまた違った良さがあります。

私たちは皆、神様から異なった賜物が与えられています。それは、それぞれがキリストのからだの一部分として、互いに助け合い、互いの益となるためです。

たとえば、誰かが怪我をしたとき、どのように動くかが人によって違うのと同じです。ある人はそばにいて励ますでしょうし、ある人は救急箱を持ってくるかもしれません。怪我をした人を助けるという同じ目的でも、それぞれの行動や考え方が違うのです。

（くわしくは、『教会の知られざる宝石１』を学ぶと、自分に与えられた聖霊の

賜物を知ることができます）

「私たちは、与えられた恵みにしたがって、異なる賜物を持っているので、それが預言であれば、その信仰に応じて預言し、奉仕であれば奉仕し、教える人であれば教え、勧めをする人であれば勧め、分け与える人は惜しまずに分け与え、指導する人は熱心に指導し、慈善を行う人は喜んでそれを行いなさい」

（ロマ12・6〜8）

これと同じように、異なった賜物を持っている人が集まり、同じ聖書箇所をディボーションするとき、それぞれ、その賜物によって示されるところが異なることがあります。それは、個人的に神様が語られる内容が違うからでもありますが、与えられた賜物によって、異なった考え方をするためでもあるのです。

このように、それぞれ違う賜物を与えられた人々が、示されたことを互いに分かち合うとき、それを聞くことによって新たな発見があり、互いに励まされます。

さらに、グループでディボーションするのは、特にイエス様を信じたばかりの人がディボーションを学ぶためにはとても有益です。いくら最初にやり方を教えても、自分でディボーションをするのはハードルが高く、迷うこともたくさんあるでしょう。しかし、何人かでディボーションをするなら、どのように示されるのかを先輩から学ぶことができ、自分も霊的に引き上げられて、ディボーションへのハードルが下がることでしょう。このようにしているうちに、一人でもディボーションができるようになるでしょう。

また、グループでディボーションすることによって、そこで出された祈り課題を互いに出し合って祈り合うことができ、互いに建て上げ合うことができるのです。

グループディボーションのやり方

それでは、どのようにグループディボーションを行えばいいのかを見ていきましょう。

（5人で行い、1時間で終わらせることを想定しています）

1　まずはじめに、祈り、賛美をします。（5分）

「一言、お祈りします。愛する天のお父様、霊の目を開いてください。みことばをよく悟ることができますように」

2　それから、誰か一人がゆっくりと聖書を朗読します。

3　内容観察をリーダーが簡単にまとめてあげます。特に難しい用語や背景などがあれば、補足してもよいでしょう。

4　最初に示されることを黙想します（インスピレーショナルディボーション）。「最初に目が留まった箇所を中心に、インスピレーションを黙想し、書き出してみましょう」（10分）

5　分かち合う時間を持ちます。適用まで導かれた人は、適用まで分かち合いましょう。

6　次に、GOD SPACEを黙想します（イルミネーショナルディボーション）。「さらに深く聖書を観察し、神様はどのようなお方か、示された罪、約束や慰め、

７　警告、命令、模範などについて黙想し、書き出してみましょう」（10分）示されたことを分かち合います。

８　与えられたみことばを持って祈り、個人の生活に適用する時間を持ちます。（5分）「生活への適用のために祈り、具体的に適用しましょう」

９　適用と実践を分かち合い、最後に祈り課題を出して、互いのために祈り合って終わります。

人数によってかかる時間は変わってきますが、一人一人があまり長くならないよう、短めに分かち合うと良いでしょう。

個人でディボーションをすることはもちろん大切です。しかしグループでディボーションすると、互いに建て上げ合いながら、個人的な分かち合いが自然に行われるようになり、深い兄弟姉妹の交わりを保つことができます。これこそ、教会そのものです。

グループ・オンライン・ディボーションの持ち方

小グループなど、同じ場所に集まれる場合は、集まったときにグループディボーションをすることができますが、時には同じ場所に集まることが難しい場合があります。距離が遠く離れている場合、海外にいる場合などです。

そのようなときには、インターネットを用いて、オンラインでディボーションをすることが可能です。あらかじめ時間を決め、ズーム(zoom)などのビデオチャットサービスを用いて集まります。インターネットを通して顔を合わせることになりますが、やり方はグループディボーションと全く同じです。

もしグループがまだ作れないようなときには、G.O.D（グループ・オンライン・ディボーション）をYoutubeに上げていますので、そちらを見ながらディボーションをすることもできます。

3 教職者のための助言

このディボーションの祝福を教職者の方が身につけたとすれば、それは先生方の個人の信仰生活だけでなく、教会にも大きな祝福になると思います。このディボーションの方法を信徒に教え、訓練し、その訓練が成功するとしたら、牧会の半分はすでに成功したと言えるでしょう。

1 このディボーションの訓練は、弟子訓練の基本であるからです。

主は習慣にしたがって、オリーブ山に上って祈られたと書いてあります。また、朝早く父なる神と交わりの時間を持ったと書いてあります。またこういうときは必ず弟子たちを連れて行かれて、訓練されたと書いてあります。どんな訓練であっても継続的にしなければならないのですが、このディボーションの訓練は特にそうです。この訓練が成功したら、この弟子訓練はほとんど成功したことになります。なぜなら、このディボーションの訓練は、すべてのクリスチャンの信仰生活の基本であるからです。

2　グループディボーションを小グループの集いの基本にしてください。

生活伝道の基本は、ＥＢＳ（Evangelistic Bible study＝伝道的聖書の学び）です。それから、このＥＢＳから救われた人たちを養育する小グループの教会の形成が大切なのです。

この家の教会のような小グループが、信徒の交わりや養育に最高に良い環境であるからです。家庭こそ、子どもの養育に一番良い関係であるのと同じです。

ここで申し上げたいことは、この家庭の教会、小グループが集うとき、何をすべきかということです。

ここですべきことは、このグループディボーションが最適です。互いに分かち合う深いグループディボーションよりも親密な霊的家族の交わりはないからです。

まさに、コロサイ教会のディボーショングループと同じです。

「キリストのことばが、あなたがたのうちに豊かに住むようにしなさい。知恵を尽くして互いに教え、忠告し合い、詩と賛美と霊の歌により、感謝をもって心から神に向かって歌いなさい。ことばであれ行いであれ、何かをするときには、主イエスによって父なる神に感謝し、すべてを主イエスの名において行いなさい。妻たちよ。主にある者にふさわしく、夫に従いなさい。夫たちよ、妻を愛しなさい。妻に対して辛く当たってはいけません。子どもたちよ、すべてのことについて両親に従いなさい。それは主に喜ばれることなのです。父たちよ、子どもたちを苛立たせてはいけません。その子たちが意欲を失わないようにするためです」

（コロ３・16〜21）

ですから、このディボーションの訓練によって、牧会プログラム全体がカバーされるように活用してください。

(1)信徒に1週間、または1か月分のディボーションの箇所を知らせ、各自自分の家でディボーションのときを持つようにします。

(2)一人でディボーションすることが難しい場合は、グループディボーションやグループ・オンライン・ディボーションを行うようにしてください。また、別の礼拝や集いの中で、恵まれた箇所を証しし、分かち合うようにして、その1週間の箇所の中から聖書勉強をします。

(3)日曜日のメッセージをその1週間のみことばの中からの講解メッセージとしてください。アメリカのカルバリーチャペルのチャック・スミス牧師は、そのモデルでもあります。その教会は５００の教会を開拓し、そのほとんどが何千人の教会に成長しております。このように、その箇所を通して講解メッセージをすると、大体3年に1回は聖書全体をメッセージすることになります。信徒にはみことばがより深く忠実にはいります。このために先生方は、帰納的な聖書勉強の訓練を受けられたらよいと思います。それは、リーダーのための聖書をより深く勉強する方法です。

信徒は個人のディボーションの時間を通して、また小グループの聖書勉強や礼拝のメッセージを通して、みことばに対してより深く成長するようになります。これは単純な聖書勉強ではないことはもうすでにご存じだと思います。黙想、適用、実践、従順とともに、信徒はイエス・キリストの弟子として強く成長していくのです。ただ、牧師はより深く聖書に通じていなければならないので、帰納的な聖書勉強を通して、信徒をより深く導くことができるように成長していく必要があります。

3　早天祈祷会のある教会は、これを通してもっと忠実に早天祈祷会をささげることができます。

早天祈祷会においても、みことばの流れや背景、大事なポイントなどを簡単にまとめてあげ、そして各自が個人の黙想と祈りに入る時間を持ってはどうでしょうか。

先生方は講壇の後ろで、終わってから、自分の個人のディボーションの時間をまた持つことができるようにしたらよいと思います。つまり、電気を少しつけて聖書を読むことができるようにするのです。そしてそのときのディボーションの内容を次の早天祈祷会に用いるならば、早天祈祷会の準備は決して負担にはならないでしょう。

また、他の方法としては、すべての信徒にこのディボーションの方法を訓練して、早天祈祷会の最初の部分を開心のときとして用いることです。いっしょに賛美し、祈り、そしてみことばを注意深く読みます。それから各自そのみことばを通して黙想のときを持ち、もっと個人的に深く黙想し、適用し、祈るようにさせます。こういうときは、聖書を読み、ノートに記録することができるように、教会堂の後ろの部分か、前の部分かどちらかに電気をつけてあげた方がよいと思います。そして別のところでは、電気を消して、祈りたい人は静かに個人の祈りに深くはいれるように、また神様を賛美したい人は賛美できるような雰囲気を作ってあげるともっとよいでしょう。

あとがき

私はこれまで、ディボーションのすばらしさについて、身近な方々に証ししてまいりましたが、このように一冊の本にまとめ、さらに多くの方々にご紹介できますことは、私にとって大きな喜びです。

この本を手にされた方が、ディボーションを通して聖霊様に導かれる幸いな人生を送ることができますよう、心からお祈り申し上げます。

なお、初めての方のためにワークブックもありますので、それも参考になさってください。

この本の著者はたくさんいます。私をこの幸せな人生へと育ててくださった多くの方々、私がこの本の中で引用させていただいた本の著者の方々などです。

お忙しい中、推薦文を書いてくださった尾山令仁先生に心から感謝致します。また、編集をしてくださった、斉藤孝予姉、氷山久美子姉、佐野浩子姉、若木由起子姉、表紙のデザインやイラストを描いてくださった金正愛姉、新納玉皇姉、真下依光姉、李美羅姉、黙々とタイプしてくださった河野弘美姉に感謝をささげます。
　この本の中で、少しでも益になったものがあれば、それは神様の恵みであり、栄光を神に帰します。しかし、この本の中で、少しでも誤解を招くことや、欠点があればそれはすべて、私の足りなさのゆえです。ですから、皆様からのご指導をいただきたく存じます。

１９９１年７月
卞在昌

※さらにディボーションについてお知りになりたい方は、ワークブック「ディボーションの実際」、月刊誌『幸いな人』、ＣＤ《ディボーションの原理と方法》《分かち合いの意味と方法》もございますので、参考になさってください。

●注釈

1　Richard.J.Foster, Celebration of Discipline,Harper&row p.4

2　栄化（glorification）。聖化ののち、神の子どもとしてキリストのかたちになります。死んでから栄化に至ります。

3　聖化（sancification）。十字架の血潮で赦され、救われた神の子どもがきよめられつつ、キリストのかたちに成長していくことを意味します。

4　霊的訓練というのがもっと自然かもしれません。また、敬虔のための鍛錬というのがもっと自然になるかもしれません。しかし、私はこの霊的訓練を聖霊の訓練と名づけることを好みます。それは、どんなにスピリチュアルな訓練であっても、人格者であられる聖霊の臨在と支配、さらに、実践的な恵みがあふれないと、それはもう一つの重荷、律法になってしまうからです。文字は殺すものです。霊は生かすものです。私たちにはこの聖霊ご自身がそのまま与えられています。彼は来られて、ともにいてくださいます。そして、彼のいのちの御霊の原理（ロマ８・２）どおりに、永遠に離れることがなく、私たちを直接に訓練してくださいます。そこに、もっと継続的で積極的で人格的に答えるのが敬虔の鍛錬です。聖霊様ご自身の訓練です。
御霊の訓練です。

5 カルヴァン主義は神様の全面的な恵みと主権、人間の全面的な堕落を強調し、アルミニウス主義は人間の意志と従順を強調します。

6 John Macarthur.Jr, The Ultimate Priority, Moody Press P.21-23

7 John Macarthur.Jr, The Ultimate Priority, Moody Press p.14

8 Edmund.P.Clowney, Christian Meditation, Oklahoma, OK.,
Presby & Reformed Press,1979 p.12-13

9 ソン・インギュ『わが主　わが神』（韓国　IVP p.73）

10 Were you there? Negro Spiritial(UN) 聖歌４００番

11 Richard.J.Foster, Celebration of Discipline, Harper & Row 1988 p.32

12 Wesley L.Duewel,Touch the World through Prayer,Francis Asbury Press p.21-31

13 Andrew Muray "Humility" という本をご覧ください。謙遜の本質などを宝石のように扱っています。

14 Richiard.J.Foster, Celebration of Discipline,Harper & Row 1988 p.140

15 ソン・インギュ『わが主わが神』IVP 1984 p.50-51
16 セーヤー（Thayer）のギリシア語事典によると、第一義的意味において、ロゴスはことば（a Word）、すでに語られたことば（過去）とされているが、レーマは、まさに今、語られていることば（現在）とされている。
17 ユン・チョンハ『黙想の時間』韓国聖書同盟 p.37

ディボーションの手引き　聖霊とともに生きる（改訂版）

2020年12月30日　初版発行
2023年 3月20日　2刷発行

著　者　卞　在昌

発　行　小牧者出版
〒300-3253　茨城県つくば市大曽根3793-2
TEL: 029-864-8031
FAX: 029-864-8032
E-mail: info@saiwainahito.com
http://saiwainahito.com

乱丁、落丁はお取り替えいたします。
小牧者出版 2020　ISBN978-4-904308-27-1